CÓMO LEER EL CUERPO

Wataru Ohashi
con Tom Monte

CÓMO LEER EL CUERPO

Manual de diagnosis oriental

U R A N O

Argentina - Chile - Colombia - España
Estados Unidos - México - Perú - Uruguay - Venezuela

Título original: *Reading the Body. Ohashi Book of Oriental Diagnosis*
Editor original: Arkana Books/Penguin Group, Nueva York
Traducción: Amelia Brito A.

© 1991 *by* Wataru Ohashi y Tom Monte
© de las ilustraciones: 1991 *by* Peter Sinclair
© de la traducción: 1995 *by* Amelia Brito A.
© 1995 *by* EDICIONES URANO, S.A.
Aribau, 142 pral. – 08036 Barcelona
info@edicionesurano.com

ISBN: 978-84-7953-881-1
Depósito legal: B-50.470-2005

Fotocomposición: Montserrat Gómez Lao
Impreso por Liberdúplex S.L. – Ctra. BV 2249 Km 7,4 – Polígono Industrial Torrentfondo
08791 Sant Llorenç d'Hortons (Barcelona)

Impreso en España – *Printed in Spain*

Dedicado a Bill Whitehead

Índice

Prólogo

A L DAR POR ACABADO mi quinto libro, comprendo una vez
más que cada libro tiene su propia autobiografía, igual como
cada ser humano tiene su propia historia. Hace quince años mi
intención era que el material de *Diagnosis oriental* formara parte de mi
primer libro, *Do-It-Yourself Shiatsu.* * Pero Bill Whitehead, mi editor de
entonces, pensó que no convenía incluir la parte de diagnosis oriental en
ese libro, debido en parte a las limitaciones de espacio, y en parte a que él
creía que no había aún interés suficiente por el tema. Yo no estaba de
acuerdo pero acaté su decisión. *Do-It-Yourself Shiatsu,* publicado por
E. P. Dutton, se convirtió en un éxito editorial. En estos últimos quince
años se ha convertido en una especie de clásico sobre el tema, y ha sido
traducido a siete idiomas.

Después de publicado el libro, el señor Whitehead me animó a que es-
cribiera éste, a modo de continuación. Aun después de haberse cambiado
a otra editorial, de vez en cuando nos reuníamos para hablar de la marcha
del libro, e incluso tuvo la amabilidad de ofrecerme unos cuantos buenos
consejos. Pero por aquel entonces yo estaba tan ocupado en mi vida privada que no lo acabé de escribir: fundé el Ohashi Institute, comencé a
enseñar y a dar charlas aquí en Estados Unidos y en Europa, me casé y me
convertí en padre. Pero continuaba trabajando mentalmente en el libro.
Hasta ahora he ofrecido o dirigido más de sesenta charlas y talleres sobre
diagnosis oriental, enseñando a más de cinco mil personas de Estados
Unidos y Europa sobre el tema. La respuesta e interés que he recibido han
sido enormemente entusiastas, siempre acompañados de preguntas y peti-
ciones de orientación.

Muchas personas, además de mi editor, se han impacientado conmigo

* Hay traducción al castellano: *Acupuntura sin agujas: Shiatsu*, Martínez Roca, Barcelona, 1983. *(N. del E.)*

por no acabar este libro antes. He reescrito varias veces algunos capítulos, debido a que cada año que pasa me hago mayor y descubro que lo que yo creía antes no es necesariamente lo que creo ahora: veo con más claridad algunos temas que anteriormente me parecía tener claros.

Con los años he ganado en conocimientos y experiencia. Las ideas contenidas en este libro han fermentado y madurado, ayudadas por la levadura de mis conversaciones con cientos de alumnos y por mi crecimiento personal. Esos años le han añadido aroma, sabor y solera a este libro.

Kikuchi Kan, uno de mis escritores japoneses predilectos, dijo una vez que no deberíamos escribir ningún libro antes de los cuarenta y cinco años, porque hasta entonces no completamos nuestra filosofía. Yo respetaba su opinión cuando era universitario en Tokio, pero hasta ahora no había podido experimentar la verdad de esa afirmación. Ahora que he llegado a los cuarenta y cinco años, parece el momento adecuado para dar nacimiento a este libro, para que pueda hacer su vida independiente en el mundo y relacionarse con la gente. Los libros son como los hijos: nacen de un progenitor, pero a medida que crecen y pasan de la infancia a la edad adulta, influyen en éste y lo hacen cambiar. En algún momento el padre tiene que reconocer la independencia del hijo. En estos momentos en que finalmente permito que se publique este libro me siento muy confundido. Por una parte me complace darle existencia. Por otra parte me siento asustado y lamento que no sea un libro perfecto, porque aún continúo creciendo y estudiando, y siempre espero aprender algo nuevo.

Aunque me hubiera gustado escribir un libro perfecto, no me siento capaz. De manera que decidí obligarme a acabar este libro lo mejor posible para presentárselo a usted. Les quedaré muy agradecido si me hacen llegar sus opiniones, consejos y aliento, para poder crecer más y cambiar durante los veinte años venideros. Me agradará muchísimo escribir otro libro sobre este tema cuando haya llegado a los sesenta y cinco, aunque supongo que entonces voy a sentir la misma frustración en el momento de darlo por acabado. Veo que si bien cada libro tiene su propia biografía, ésta nunca puede ser terminada por el autor. Al menos eso es lo que pienso de los libros que más respeto y de los que más disfruto, y espero que éste sea uno de ellos.

OHASHI
Junio de 1991

Agradecimientos

PARA PODER REALIZAR algo en la vida no sólo es necesario trabajar mucho sino también tener mucha suerte. Tengo que agradecer el haber contado con ambas cosas. Me alegra comprobar que en los últimos quince años he gozado de mucha energía, entusiasmo y bienestar. Y es también una bendición haber tenido mucha suerte y contado con la ayuda de muchas personas.

En primer lugar, deseo expresar mi gratitud a Bill Whitehead, que publicó mi primer libro en E. P. Dutton, y que continuamente me animaba a terminar éste. Muchas veces nos hemos reunido para hablar al respecto. Aún recuerdo una tarde de verano que pasó con mi familia en Riverside Park, comentando los últimos avances, mientras observábamos jugar a mi hijo pequeño.

Diez años después, Paul De Angelis compró esta obra para E. P. Dutton, y trabajó conmigo sus ideas, ayudándome a pulir el manuscrito. Nuestras familias se hicieron amigas durante el proceso, y así fue cómo volvimos a pasar otra tarde de verano conversando sobre el tema, mientras esta vez observábamos a su hija pequeña jugar en la hierba.

Después que E. P. Dutton pasara a formar parte de Penguin USA, y Paul De Angelis fuera a trabajar a otra editorial, conocí a David Stanford, el director que me ofreció su reflexiva orientación para pulir la obra y darle su forma definitiva. En esta ocasión no pasamos una tarde juntos en un parque, pero hacia el final del proceso de edición estuve encerrado varios días en su oficina, revisando los muchos milagros realizados por Barbara Perris, sagaz correctora del manuscrito. Deseo expresar mi gran satisfacción por haber tenido la buena fortuna de trabajar con Tom Monte, mi colaborador en este libro. Tiene una enorme cantidad de energía y conocimientos, y muchas veces me obligaba a acelerar el paso en mi perezoso proceso de escribir en su ordenador de alta tecnología. Tiene mucha experiencia y conocimientos sobre la curación oriental, entre otras cosas sobre macrobiótica y trabajo corporal; sin su colaboración y talento, este libro jamás habría podido acabarse. Le costaba bastante decidirse a escribir dado que a los dos nos gusta muchísimo hablar sobre la evolución humana, la espiritualidad, la ecología y el destino de la Humanidad. Se alojó en mi casa muchos días durante el tiempo en que escribíamos este libro, y nos hicimos buenos amigos.

Peter Sinclair llegó a nuestra escuela a estudiar el Programa Ohashiatsu®. Cuando descubrí sus extraordinarias dotes como dibujante y pintor, lo convencí para que trabajara en este libro. Aceptó entusiasmado mi invitación para dibujar algunas de las ilustraciones, y las realizó con gran entusiasmo y dedicación. Él también pasó muchos días en mi casa cerca de Albany. Dado que su familia vive en Michigan, el sacrificio que tuvo que hacer para venir a trabajar conmigo fue muy grande, por lo cual le estoy profundamente agradecido. Mientras tanto se graduó con éxito en el Programa Ohashiatsu®, por lo cual lo admiro muchísimo. También deseo extender mi agradecimiento a mis alumnos e instructores de mi Instituto, que han esperado este libro durante quince años y que se sonreían educadamente cada vez que yo les prometía que estaría listo «en tres meses».

Deseo también agradecerle sinceramente a usted, lector, que tiene el libro en sus manos en este momento. Siempre trato de ver lo que no veo, por lo que me hará muchísima ilusión recibir su sincero comentario sobre esta obra. También me gustaría poder ofrecerle mi taller y mis charlas para poder compartir de este modo mi felicidad y experiencia con usted. Por favor, escríbame a:

Ohashi
P.O. Box 505
Kinderhook, NY 12106
Estados Unidos

1

¿Qué es la diagnosis oriental?

MUCHO ANTES DE QUE existieran los aparatos de rayos X, los escáneres y los análisis de sangre, los sanadores tradicionales empleaban métodos no agresivos para determinar el estado de salud, el talento y el carácter. De estos conocimientos nació un profundo aprecio por la unidad de cuerpo, mente y espíritu. Para el diagnosticador oriental, el cuerpo es la manifestación física del alma. Cuerpo y alma son uno. El cuerpo es a la vez síntoma y símbolo del espíritu.

La diagnosis oriental es el arte de ver lo profundo bajo la superficie; de revelar la verdad interior. En este libro voy a hablar no solamente de nuestra salud sino también de nuestra naturaleza interior, tal y como se revela en las características físicas de nuestro cuerpo. Esto le servirá para adquirir una percepción profunda de su verdadera naturaleza. Vamos a dejar de lado los viejos prejuicios, sentimientos de culpa y malos entendidos, para ver un ser más profundo y fundamental.

Todas las personas buscamos respuestas a los interrogantes más importantes de la vida: ¿Quién soy? ¿Cuáles son mis fuerzas? ¿Cuáles son mis debilidades? ¿Cuál es la orientación de mi vida? Le voy a enseñar a leer su cuerpo como si fuera un libro en el que estuvieran escritas las respuestas a estas preguntas.

Mi objetivo es mostrarle sus puntos buenos, aquellos aspectos en los cuales es usted fuerte, evolucionado y dotado. Deseo que sepa qué es lo que está bien en usted, y que al mismo tiempo desarrolle un aprecio profundo por su propia persona.

Cuanto más conocemos nuestras fuerzas, con mayor facilidad podemos elegir caminar en la dirección de nuestros talentos y felicidad. El conocimiento mejora la calidad de nuestra vida.

No creo que se deba cambiar para ser feliz. Más bien, es necesario conocer y cultivar lo que está bien en uno. Ya poseemos todo lo que necesitamos para ser felices.

Solemos tener una visión incorrecta de nosotros mismos. La mayoría de las personas creen que fallan en algo; piensan que tienen que cambiar para ser felices. Esta actitud las impulsa a sentirse inferiores y culpables.

Mi posición es diferente. Cada uno de nosotros ya es bueno y valioso; ya somos capaces de ser felices. La clave es conocer y cultivar lo bueno que hay en nuestro interior.

Cuando llegamos a conocernos, comenzamos a percibir nuestras fuerzas y debilidades. Mediante la diagnosis oriental vemos nuestras debilidades bajo su verdadera luz: como orientaciones para el comportamiento, no como algo por lo que debamos sentirnos mal.

Por ejemplo, supongamos que usted tiene un problema de debilidad intestinal. En lugar de utilizar ese conocimiento para criticarse, puede usarlo para ser feliz tratando a sus intestinos con amabilidad y respeto. Mediante el conocimiento de sí mismo puede elegir con cuidado sus alimentos; puede elegir masticar bien y comer de manera tranquila y reposada. Poco a poco sus intestinos se irán haciendo más y más fuertes; y usted va a pensar con más claridad y a desarrollar mucha más confianza. Va a usar el conocimiento de sí mismo para ser feliz, no para fomentar la autocrítica y la desdicha.

Concretamente, va a aprender dos cosas en este libro. La primera es una nueva manera de considerarse usted y considerar a los demás, basado en los antiguos métodos de la diagnosis oriental. Llegará a reconocer que cada característica, cada gesto, cada arruga de la cara tienen su significado, y podrá descifrar el significado concreto de cada una de estas características, gestos y arrugas. Mediante este proceso va a comprender una verdad fundamental acerca de la vida: que las respuestas a todos los interrogantes importantes ya existen en usted.

Mis alumnos siempre me preguntan: «Ohashi, ¿adónde debo ir para encontrar la iluminación? ¿Debo ir a Japón o a India? ¿Debo estudiar con ese o con aquel gurú?» O bien preguntan: «¿Qué debo hacer para mejorar mi salud?» «¿Qué debo hacer para ganarme la vida?» Las personas siempre acuden a algún sitio o a otra persona en busca de las respuestas a estas preguntas. Muchas incluso pagan enormes sumas de dinero para que alguien les diga algo acerca de sí mismas, o las ayude a descubrir quiénes son; pero cuanto más dinero gastan, más confundidas y desilusionadas quedan.

Las respuestas no existen fuera de nosotros. Están dentro. La respuesta que les doy a mis alumnos es muy sencilla, pero es la clave para las respuestas. «Estás parado sobre tus respuestas. La respuesta eres tú.» Lo que quiero decir es que las respuestas ya existen dentro de nosotros. La verdadera pregunta es cómo descubrirlas.

No es necesario acudir a ese o a aquel especialista, ni es necesario escuchar interminables charlas de autoayuda. Todo lo que hemos de hacer es aprender a leer nuestro propio libro, cuyas palabras están escritas en los rasgos de nuestro cuerpo.

Siempre les pido a mis alumnos que se quiten los zapatos antes de entrar en mi clase. Es una tradición japonesa no usar zapatos en el interior de la casa. Suelo coger un par de zapatos, y sin preguntar a quién pertenecen comienzo a leer las historias que cuentan las suelas acerca de la naturaleza interior de su dueño. «Veo que esta persona tiene dolor en la parte inferior de la espalda», digo. Inevitablemente se oye una risita azorada, de la dueña, sin duda. «Ah, pero tienes unos intestinos maravillosos, una voluntad fuerte y una actitud positiva ante la vida» continúo. «Consérvala; te ayudará a triunfar.» Después añado: «Procura tratar bien tus riñones. Hay una cierta debilidad allí». Después cojo otro par de zapatos y hago otra ronda de observaciones. «Una persona muy tozuda camina con estos zapatos», digo con fingida gravedad. «Tenemos que darle un buen tratamiento de Ohashiatsu* para que se afloje.» La clase se ríe. «La tozudez proviene de un bazo débil», continúo. «Es una persona muy resuelta, pero se siente muy frustrada. Debe aprender a ver las cosas buenas que tiene y las grandes cosas que ya ha realizado.»

Y así sigo. Todos se quedan maravillados ante esto. Creen que es un truco de magia, pero no es más que conocimiento.

La diagnosis oriental le ayudará a ver su ser interior bajo la superficie de las cosas. Pero para ver el ser interior es necesario ejercitarse en ver lo bueno que hay en uno y en los demás. La diagnosis oriental es una ruta hacia una vida positiva y feliz, sólo que hay que desarrollar la capacidad de ser positivo. Este es el poder que resiste, construye y finalmente triunfa en la vida.

Lo segundo que va a aprender con este libro es a cultivar su simple sentido común, con lo que obtendrá una manera natural y más amplia de pensar. Su mente superará la dualidad bueno/malo, para formarse una visión más holista, más total, de la vida. Verá que dentro de todas las cosas hay opuestos. Uno no es una persona débil o una persona fuerte, es ambas cosas a la vez.

Aquí hay una diferencia fundamental entre orientales y occidentales. Los occidentales ven las cosas en forma de absolutos: bueno o malo, correcto o equivocado, fuerte o débil.

En Oriente esta visión es diferente. Se puede ser fuerte y débil al mismo tiempo. Un árbol que se dobla con facilidad puede considerarse débil. Pero ese mismo árbol puede ceder ante un viento fuerte, y así sobrevive cuando otros se rompen. La flexibilidad del árbol es su fuerza.

Permítame ponerle otro ejemplo. Desde un punto de vista médico occidental, una persona que tiene síntomas de enfermedad está enferma. Eso define a la persona y el tratamiento que deberá recibir.

---

* Ohashiatsu es la forma de trabajo corporal desarrollada por Ohashi, basada en sus estudios de shiatsu, acupuntura, mexabustión, manipulación, ken do, aikido y baile, así como en la filosofía oriental.

Pero el sanador oriental tradicional ve dentro de la persona enferma la batalla que luchan la enfermedad y la salud. Si no hubiera nada de salud allí, el paciente estaría muerto. Enfermarse es signo de salud. Mientras se está enfermo se está vivo. Mientras se está vivo se tiene la oportunidad de recuperarse. Cuando se está muerto ya no hay más oportunidades.

Así pues, el método del sanador oriental consiste en favorecer las fuerzas de la salud que hay dentro del paciente, y por eso nuestros métodos de curación son muy diferentes de los empleados en Occidente. Verá esto con más claridad, y comprenderá nuestro razonamiento, cuando explique las maneras de tratar los diversos problemas de salud.

Hace varios años vino a verme un matrimonio para pedirme consejo. El marido había visitado ya a muchos médicos y sufría de más de treinta dolencias. Su esposa me dijo:

–Ohashi, ¿no cree usted que mi marido está muy enfermo?

Yo me incorporé y puse mis manos sobre los hombros del marido, y le dije admirado:

–Jamás he visto a un hombre tan sano en toda mi vida. Si yo tuviera uno solo de estos problemas, ya estaría muerto. Y usted tiene treinta problemas y ahí está, vivito y coleando. Está vivo. Tiene que poseer una enorme fuerza interior, y tiene que estar muy sano también.

El hombre se sintió tan agradecido por mis palabras que casi se echó a llorar. Todo el mundo lo marcaba como a un hombre enfermo. Nadie le daba esperanzas de recuperación. Yo le di esperanzas y resultaron ciertas. Se puso bien.

En Oriente jamás se dictamina sobre algo de forma categórica. Siempre intentamos contrastar las características opuestas que se dan en un todo. El todo está compuesto de opuestos. En todo existe la paradoja.

Si únicamente vemos lo malo en alguien o algo, vemos sólo la mitad del cuadro. En ese sentido, estamos ciegos a las posibilidades que hay dentro de la persona o la situación. Queda poca o ninguna esperanza porque no hay motivos para la esperanza. En consecuencia, no podemos aliviar el sufrimiento. Pero si nos abrimos a lo bueno que también está allí, tenemos una visión nueva y completa de la vida y podemos disfrutar inmensamente de nosotros mismos y de la vida.

No quiero decir que Oriente sea mejor que Occidente. Creo que ambos son esenciales para la totalidad. Las prácticas médicas de Occidente han conseguido resultados maravillosos y milagrosos. Pero igualmente importantes son la filosofía y el sistema orientales, cuyos métodos suelen ser menos agresivos, más interesados en las causas del problema e igual de eficaces que los empleados por el médico occidental. Lo importante es que ambos sistemas tienen su lugar en el espectro de la curación. Oriente y Occidente son opuestos que se complementan para hacer un mundo más habitable.

En este libro me voy a centrar en los métodos usados en la curación oriental tradicional. Para ayudarle a comprender la diagnosis oriental y su filosofía subyacente, a veces voy a hacer comparaciones entre las modalidades orientales y occidentales. Pero a medida que vaya comprendiendo mi enfoque, verá que ambas son valiosas. Escoger una u otra en cualquier momento determinado dependerá de la situación en que nos encontremos y de lo que se intente conseguir.

CÓMO USAR ESTE LIBRO

Cada uno de nosotros, sea quien sea y por mucho que pueda saber, habrá de aproximarse a la diagnosis oriental de la misma manera: como alumno. Llevo veinticinco años estudiando la diagnosis oriental, y continuaré siendo un alumno durante el resto de mi vida. Mi actitud de principiante me asegura que siempre voy a aprender. En el proceso, espero desarrollar mi comprensión de la vida misma. Ese es el objetivo de esta práctica.

La búsqueda del conocimiento de sí mismo es una empresa de toda la vida. Siempre que me miro en el espejo o examino mi cara, me veo ante una nueva información. Hoy estoy despejado e ingenioso; mañana estaré apagado y nebuloso. Me pregunto ¿qué me dice mi cuerpo hoy? ¿Cómo debo adaptarme a mi cambiante condición? Soy siempre el estudiante del cambio.

Cuando miro los rostros de otras personas, veo sus condiciones cambiantes y aprendo de sus rostros y posturas, de su manera de caminar, hablar y gesticular. Me maravilla la infinita creatividad del Universo y al mismo tiempo reconozco la similitud de los diseños.

Mientras estamos vivos, aprendemos. Por lo tanto, siempre hay alumnos. La diagnosis oriental es nuestro instrumento para descubrir la sabiduría de la vida.

Nuestra capacidad para la diagnosis oriental depende exclusivamente de nuestro desarrollo personal como seres humanos. Si uno cree que ya sabe algo, tiene menos posibilidades de permanecer receptivo a una verdad superior o a una percepción más profunda. Estamos demasiado atiborrados de presunción e ideas limitadas. Pero si continuamos siendo siempre alumnos, ampliaremos sin cesar nuestra comprensión y capacidades. La vida nos va a sorprender continuamente con nuevas revelaciones y conocimientos. A medida que aumente nuestra sabiduría, contemplaremos con nuevos ojos nuestro propio rostro y los rostros de los demás. Veremos cada vez con mayor claridad que cada uno de nosotros es una manifestación única del Universo infinito. Tenga siempre presente que cuanto más ame y comprenda a las personas, más se le revelarán, y mayor será el servicio que pueda hacerles.

Sean cuales sean sus motivos para leer este libro, abórdelo como un alumno. Sea un principiante, y se beneficiará enormemente de él, así como de toda la vida.

Cada grupo étnico tiene rasgos físicos que lo hacen único. Los japoneses, los chinos y otros pueblos orientales tienen unos ojos característicos inconfundibles, la piel amarilla y el cabello negro. Por lo general son también más bajos que los occidentales. Muchos europeos orientales tienen la nariz larga y el pelo rizado. Muchos suecos tienen la piel y el cabello claros. Hay africanos que tienen la piel negra, los ojos oscuros y el pelo rizado; muchos tienen labios gruesos. Los italianos del sur tienen la piel y el cabello oscuros; muchos tienen la nariz grande, llamada romana. Los árabes tienen la piel, los ojos y el cabello oscuro; muchos tienen la boca grande y los labios más gruesos. Los indios norteamericanos tienen la cara ancha, los pómulos altos y la piel oscura; muchos tienen el pelo lacio.

De aquí podemos concluir que cada grupo étnico y racial tiene rasgos físicos característicos; cuando examinamos la cara de una determinada persona, hemos de situar a esa persona dentro del contexto del grupo étnico al que pertenece para comprender la información procedente de su rostro. Por ejemplo, como veremos más adelante, el labio inferior indica el estado del intestino grueso. Para saber si el labio de una persona está hinchado o tirante, es necesario verlo en relación con su boca y su cara. Además, si se quiere una comprensión exacta de la salud de la persona, no se pueden comparar los labios de una persona estadounidense de origen africano con los de una de origen alemán, por ejemplo, ni la nariz de un japonés con la de un siciliano.

Más allá de esta razón práctica para liberarnos de prejuicios, cabe señalar que las personas que tienen prejuicios raciales o étnicos, tienen también una comprensión de la vida extraordinariamente limitada. Cuando usamos la diagnosis oriental tratamos de entender cómo lo infinito se manifiesta en lo finito, cómo cada uno de nosotros es una manifestación única de lo divino. Tal vez si usted tiene la oportunidad, como yo la tengo, de estudiar la infinita variedad de los rostros y cuerpos humanos, conseguirá una comprensión mayor de la belleza de todas y de cada una de las personas.

DIAGNOSIS ORIENTAL: CUATRO VERDADES FUNDAMENTALES

Comencemos por las cuatro ideas básicas de la diagnosis oriental.

a) Todos los fenómenos se componen de opuestos. La paradoja se presenta en todas las cosas. Adondequiera que miremos en la naturaleza, veremos la interacción de los opuestos. Sin paradoja no existiría el mundo físico. Por ejemplo, el día está compuesto de luz y sombra; la raza humana está compuesta por hombres y mujeres; no habría «caliente» si no hubiera «frío». El cerebro tiene hemisferios izquierdo y derecho, y cada uno realiza funciones complementarias. Todas las cosas tienen lado izquierdo y derecho, parte anterior y parte posterior, parte superior y parte inferior.

Sin opuestos, no habría manera de distinguir nada en el planeta. La vida no tendría forma.

En Oriente decimos que un extremo da nacimiento a su contrario. Un hombre pobre tiene la posibilidad de hacerse rico, una persona enferma puede convertirse en sana; una persona sana puede enfermar, un hombre rico convertirse en pobre. Cuanto más extrema es la condición, más posibilidades hay de conseguir su opuesto. Todo problema puede convertirse en ventaja.

Lo que quiero decir es lo siguiente: por muy mala que parezca ser una situación, existe una enorme posibilidad de crecimiento y felicidad. Sólo es necesario descubrir lo bueno y desarrollarlo. Esta sola actitud es la respuesta. La actitud ante la realidad puede constituir la base para el cambio positivo. La realidad es la realidad. Sí, tengo un problema. El asunto es: ¿cómo reacciono ante él? ¿Voy a renunciar porque creo que el problema es demasiado grande para mí, o voy a considerarlo una oportunidad? La manera en que miramos el problema determina la forma de tratarlo. Nuestra actitud está en nuestro poder. Cambiamos de actitud y vemos el problema bajo una luz diferente.

Permítame que le ponga un ejemplo. Cuando llegué a este país tuve muchas dificultades. Una noche me sentí terriblemente deprimido. Me senté solo en una habitación silenciosa y me eché a llorar. Lloré y lloré. Cuando acabé de llorar hice una lista de mis problemas. Parecían abrumadores. Esta fue mi lista:

- Soy japonés. Es bueno ser japonés cuando estás en Japón, pero es difícil ser japonés en Estados Unidos. Hay muchas cosas a las que adaptarse cuando estás en tierra extranjera, y yo tengo muchas dificultades para integrarme en las costumbres, cultura y expectativas de este país.
- No hablo bien el inglés. Apenas me entero de lo que dice la gente.
- No tengo dinero. Y como casi no hablo inglés bien, no podré encontrar un buen trabajo.
- No tengo amigos ni familia. Estoy solo. ¿A quién puedo acudir en busca de ayuda? A nadie.

Estos eran mis problemas principales, pero evidentemente eran causa de muchas otras dificultades y frustraciones a lo largo de un día.

Después de haber hecho mi lista me senté a meditar. Luego repasé la lista que había hecho. De pronto me di cuenta de que lo que había considerado problemas eran en realidad mis oportunidades. Una por una, repasé mi lista:

- Soy japonés. ¡Fabuloso! Sacaré el mejor partido de ser japonés. Puedo enseñar diagnosis oriental y Ohashiatsu a los estadounidenses. Como además soy bajito, miope y tengo los ojos rasgados, la gente me considerará auténtico. Respetarán más mi trabajo.

- No hablo bien el inglés. ¡Magnífico! Así no tendré que escuchar cuando se quejen de mí. Tendré la mente en paz.
- No tengo dinero. ¡Superfabuloso! Entonces un céntimo será más de lo que tenía antes. Sólo puedo ir hacia arriba. Ya estoy en mi camino hacia el éxito.
- No tengo amigos ni familia. ¡Fantástico! No soy prisionero de sus consejos ni de sus expectativas. No estoy limitado por los lazos de la familia ni por la estructura social. Soy libre.

Tan pronto como dejé de considerar como problemas estas situaciones, fui capaz de continuar con mi vida y sentirme más libre y contento. Vi esos problemas bajo su verdadera luz: como mis oportunidades. La realidad seguía siendo la realidad. Nada había cambiado fuera de mi punto de vista, y fue éste el que me dio más libertad para mejorar mi vida.

Mi situación ciertamente mejoró. Cuando comencé a enseñar diagnosis oriental y Ohashiatsu en la ciudad de Nueva York, sólo tenía unos pocos alumnos. Pero las cosas cambiaron muy rápidamente, y ahora tengo dos mil alumnos y muchas escuelas repartidas por todo Estados Unidos y Europa. El Instituto Ohashi es muy apreciado en todo el mundo.

Los problemas son las semillas de la buena fortuna. Nos ofrecen la oportunidad de conocernos a fondo. También nos hacen apreciar los aspectos positivos que todo el mundo tiene en su interior, capacidades o talentos especiales. Hemos de saber explotarlos para poder triunfar en la vida.

La idea de la paradoja no se limita a Oriente; el filósofo griego Heráclito construyó toda su filosofía sobre ella. «La oposición produce acuerdo», escribió. «De la discordia nace la armonía más justa. [...] Debido a la enfermedad, la salud es agradable; debido a lo malo, lo bueno es agradable; debido al hambre, la saciedad; debido al cansancio, el descanso.»

Los problemas son la madre del crecimiento y el éxito. Abrace sus problemas y encontrará las respuestas.

Una vez se me acercó uno de mis alumnos y me dijo que no tenía esperanzas, se sentía impotente. Tenía demasiados problemas.

–Tienes razón –le dije–. No tienes esperanza.

Se horrorizó de que yo dijera eso. Pero después le expliqué:

–Todos somos impotentes. Pero comprender eso puede hacernos felices. Si de verdad te sientes desesperado, entonces todo lo que logras hacer es positivo. ¿Estabas incapacitado y has hecho todo esto? Eres increíble. –Me incorporé y le estreché la mano–. Felicitaciones, eres un chico increíble.

Esta es mi filosofía: la apreciación es la llave para la felicidad. Sólo cuando uno se considera impotente ante una situación, es capaz de apreciar todo lo que hace, todo lo que logra y todo lo que se le da. Desde esta perspectiva, el fracaso no será tan doloroso. Después de todo, ya estaba condenado a él.

Nací en 1944 en una pequeña ciudad de las afueras de Hiroshima. Cuando cumplí tres años ya había tenido tres oportunidades de morir. La primera fue en 1945, cuando bombardearon mi ciudad con explosivos convencionales y después lanzaron la bomba atómica sobre Hiroshima. Afortunadamente mi familia vivía fuera de la onda expansiva de la bomba, pero los efectos de los bombardeos convencionales en mi ciudad fueron devastadores. Sufrí una diarrea terrible, deshidratación y otros efectos secundarios debido a las malas condiciones higiénicas. Un médico de la localidad tuvo que trabajar muchísimo para mantenerme con vida. Pero sobreviví. Dos años después sufrí dos accidentes, cualquiera de los cuales podía haberme costado la vida. Pero salí adelante.

En 1991 cumplí 47 años. Me emociona muchísimo estar vivo. He vivido cuarenta y cuatro años más de lo que se esperaba. Aunque muriera mañana, nadie podrá decir que Ohashi murió joven. Ohashi ya ha vivido más de lo que se creía que iba a vivir. Cada año es un nuevo regalo.

En realidad, el verdadero placer de la vida proviene de la simplicidad, pero como esperamos demasiado, somos incapaces de apreciar las alegrías sencillas. Cuando esperamos demasiado no somos capaces de apreciar nada, ni siquiera a nosotros mismos.

Asuma sus debilidades, reconozca lo limitadas que han sido sus oportunidades de éxito y luego aprécielo todo. Ha hecho un trabajo fabuloso.

El principio de los opuestos es antiquísimo. Formaba la base del primer libro de medicina jamás escrito, *El Clásico de Medicina del Emperador Amarillo*, gran obra china que sienta los fundamentos de toda la medicina oriental. *El Clásico del Emperador Amarillo* expresa la filosofía de los opuestos como *yin* y *yang*, las dos fuerzas que hacen posible todos los fenómenos. Según se explica, yin es la fuerza expansiva del Universo. Produce la fuerza centrífuga: hace las cosas altas, húmedas, sueltas y femeninas. Yang es la fuerza contractiva y produce la fuerza centrípeta: hace las cosas pequeñas, secas, apretadas y masculinas. Estas dos fuerzas primordiales se consideran arquetipos en Oriente, es decir, las dos fuerzas esenciales que ocasionan todos los acontecimientos en el mundo físico.

Más adelante hablaremos con más profundidad del yin y el yang, indicando las características yin y yang de nuestros cuerpos y comportamientos. También vamos a considerar el yin y el yang en el sistema oriental para corregir diversos desequilibrios del cuerpo.

b) Cada ser humano es un todo unificado de cuerpo, mente y espíritu. No hay separación entre estas características humanas. El cuerpo no podría existir sin la mente y el alma; tampoco podrían existir en la Tierra la mente y el espíritu sin el cuerpo. Estos tres aspectos de la vida humana son uno. No se puede solucionar ningún problema sin tratar estos tres dominios.

Cuando explico la diagnosis oriental suelo decir que un síntoma indica características físicas, psicológicas y espirituales. La razón es que lo físico es un síntoma de lo mental y lo espiritual. Gracias al espíritu llegamos a ser.

c) El todo se puede ver en cualquiera de sus partes. En lo micro podemos ver lo macro, y en lo macro podemos ver lo micro. Esto significa que en cualquier parte del cuerpo podemos ver el funcionamiento del todo. Al examinar la cara podemos ver el estado de los sistemas digestivo, circulatorio y nervioso; del corazón, de los órganos sexuales, de los riñones, del hígado y la vesícula biliar, y del bazo. Además, podemos ver muchas características personales, entre ellas el talento, las tendencias, las fuerzas y las debilidades. La cara revela los secretos del cuerpo y el espíritu.

d) La energía circula por todo el cuerpo en circuitos o canales maravillosamente organizados llamados meridianos. Estos meridianos son ríos de energía que discurren de la cabeza a los pies, creando una red interconectada que enlaza todas las células y órganos con todas las demás partes del cuerpo. Más adelante veremos cómo se pueden examinar esos meridianos para revelar la salud de los órganos individuales.

La unidad de la vida es pasmosa. Prácticamente todas las religiones y filosofías importantes a lo largo de los tiempos han señalado esa unidad; es el más básico de todos los principios. «Escucha, oh Israel: el Señor nuestro Dios, el Señor es Uno.» Esta no es sino una expresión de este principio fundamental. La diagnosis oriental, también basada en este principio de unidad, es, por lo tanto, no sólo una técnica o instrumento, sino también un camino filosófico y religioso. Nos conduce a la fuente de la vida, que es la divinidad interior. Hemos de acercarnos a ella con una actitud de humildad, reverencia y aprecio, y no usarla jamás como instrumento para criticar a otras personas, ni permitir que se convierta en un medio para acusar de inferioridad o debilidad a uno mismo o a otras personas. Está destinada a inspirar y edificar. Está destinada a servirnos de guía hacia la unidad.

DIAGNOSIS: ORIENTE Y OCCIDENTE

He de admitir que la palabra «diagnosis» se presta a engaño. Yo no diagnostico como lo hace un médico. De hecho son tantas las diferencias entre la medicina occidental y la diagnosis oriental que el hecho de contrastarlas puede ser la mejor forma de comprender el enfoque oriental (véase cuadro 1).

Comencemos por las diferencias más marcadas. En Oriente el cuerpo humano se considera una unidad delicadamente equilibrada compuesta de partes interdependientes. Y no olvidemos un punto muy importante: el todo es mayor que la suma de sus partes.

La persona es una entidad viva compuesta por mente, cuerpo y espíritu. Un diagnosticador oriental considera que estos tres dominios forman una sola unidad. No hay ninguna separación, sólo unidad.

Para la diagnosis oriental el cuerpo es una orquesta cuya música es el alma. Elimine cualquier instrumento o cambie la manera de tocarlo y se alterará toda la música. Para poder obtener la extensión total del espíritu es necesario afinar delicadamente cada órgano como si se tratara de un instrumento. Debe funcionar de modo óptimo, como si fuera tocado por un virtuoso. Sin embargo, nunca se debe olvidar que cada órgano ha de estar en perfecta consonancia con el resto del cuerpo (los demás instrumentos de la orquesta) para producir el ser más completo y hermoso que es la persona.

El sanador, o sanadora, oriental, por lo tanto, es como el director de una orquesta. Escucha los instrumentos que desentonan y los afina para que toquen en armonía con el resto de la orquesta.

Ahora analicemos con más detalle.

En el interior del cuerpo, cada órgano se considera en relación con todos los demás. La salud de un órgano individual, el hígado por ejemplo, depende del funcionamiento adecuado de todos los demás órganos. El motivo es sencillo: desde el punto de vista oriental, el cuerpo es un circuito continuo por el cual circula la energía. Esta energía es la fuerza vital. En Japón se la llama *ki,* en China *chi,* y en India *prana.* Si la energía está bloqueada en cualquier parte del cuerpo, la energía *ki* no nutre adecuadamente a los otros órganos.

Así pues, el hígado, el corazón, el bazo, el intestino grueso y los riñones, por nombrar unos pocos, trabajan todos en armonía y cada uno depende de los demás para mantener la salud. Si hay una adecuada circulación de la energía por todo el cuerpo, todas las células serán nutridas por la energía dadora de vida, y todos los órganos podrán realizar sus tareas de modo óptimo. Si la energía está bloqueada, las células y los órganos se sofocan por falta de *ki.*

Las mismas palabras pueden tener significados distintos en las diagnosis occidental y oriental. En la tradición occidental, si hablamos del «hígado» o de «problemas del hígado», nos referimos sólo a problemas físicos del órgano propiamente tal. En la tradición oriental podríamos referirnos al órgano o al meridiano de energía relacionado con ese órgano, y los problemas que afectan al órgano o al meridiano son a veces físicos y a veces psicológicos.

Hablar del cuerpo como algo separado de la energía vital, o espíritu, es erróneo. El cuerpo es la manifestación externa del espíritu. El espíritu, o fuerza vital, imbuye el cuerpo y mantiene su vida. El sanador oriental trabaja con la energía del cuerpo y se interesa por las características y el comportamiento de cada órgano. ¿Está demasiado apretado, por ejemplo, siendo causa de que la energía se quede estancada allí? ¿Es esa la causa del dolor o la degeneración? ¿O está hinchado el órgano? ¿Circula hacia él la cantidad adecuada de energía? Yo me pregunto: ¿qué hay en el estilo de vida, dieta o comportamiento que causa el desequilibrio? Estas son sólo unas pocas de las preguntas que nos haremos cuando observemos con más atención nuestros cuerpos más adelante.

DIAGNOSIS: ORIENTE Y OCCIDENTE

Oriental	Occidental
Abstracta	Concreta/específica
Subjetiva	Objetiva
Artística	Técnico-científica
Hemisferio cerebral derecho	Hemisferio cerebral izquierdo
Medicina oriental: desarrollada a partir de la filosofía y el arte	Medicina occidental: desarrollada a partir de la ciencia
Medicina oriental: destinada a desarrollar espiritualmente a la persona; interesada por la capacidad de comprender	Medicina occidental: más interesada por lo material; da mucha importancia a los síntomas físicos
Diagnóstico oriental: impreciso; muy general	Medicina occidental: muy precisa; interesada por lo que está mal
Holista; se interesa por la persona completa, no por dolencias concretas	Sintomática: se centra en determinados órganos y síntomas en lugar de trabajar con toda la persona
Basada en la comunicación de ser humano a ser humano; tacto	Basada en máquinas y análisis de laboratorio
Medicina oriental: basada en la paradoja: la salud es el equilibrio entre los opuestos, o fuerzas opuestas (paradójicas). «La enfermedad evoca la salud; la salud evoca la enfermedad»	Medicina occidental lineal: «La salud es salud; la enfermedad es enfermedad». Lo bueno y lo malo son puros y separados
La enfermedad sugiere que hay fuerzas para eliminarla; el problema se puede transformar en ventaja	
Todo cambia	Los estados se consideran estáticos
Acepta las dificultades y la muerte	No acepta las dificultades ni la muerte; hace todo lo posible por evitar ambas
La medicina es general, orientada al estilo de vida	La medicina es precisa, orientada a los fármacos y la cirugía
El enfermo se cura a sí mismo; el sanador sólo orienta	El médico y la medicina curan al enfermo
El sanador es más pasivo	El médico es más paternalista y agresivo
Sanador y enfermo tienen una relación en la cual ambos dan y ambos reciben; el sanador agradece al paciente: el dador es receptor, y el receptor es dador	El médico da remedios; el paciente no da nada; el médico es el dador, y el enfermo el receptor

Dado que la mente, el espíritu y el cuerpo son uno, todas las características humanas, sean emocionales, intelectuales o espirituales, tienen su órgano físico correspondiente. Todos sabemos, por ejemplo, que el cerebro es el órgano para pensar; sin embargo, ningún científico ni neurocirujano ha visto jamás un pensamiento. Los pensamientos son invisibles, pero si se lesiona el cerebro, disminuye la capacidad de pensar. Lo mismo ocurre con todas las demás partes del cuerpo. Cada órgano tiene su papel en el mantenimiento del carácter de una persona.

En la diagnosis oriental decimos que la salud del cuerpo está directamente relacionada con la salud de la mente y con la psicología personal. Incluso decimos que cada emoción está asociada con un determinado órgano o grupo de órganos. (Hablaremos de esto más extensamente en los capítulos siguientes.) El hígado, por ejemplo, está relacionado con la rabia. Cuando hay un problema o lesión en el hígado, uno siente más rabia. Los riñones son la sede de la voluntad y controlan el miedo; por eso, cuando hay problemas de riñón, se siente más miedo. (También veremos más adelante cada órgano y sus aspectos emocionales y psicológicos correspondientes.)

Por todo ello, en la diagnosis oriental se piensa que la extirpación de la vesícula biliar o del bazo cambiará a la persona entera, dejará de ser quien era. En lugar de practicar cirugía, el sanador intenta rectificar el problema subyacente tratando su causa esencial.

Esta filosofía nace de la forma de pensar oriental, que está dominada por el hemisferio cerebral derecho. La mente oriental piensa de una manera holista e intuitiva, en cuanto opuesto a una mente racional y segmentada. La filosofía oriental es más humanista y artística que tecnológica. Para el oriental, la vida es un cuadro en el cual todos los elementos son importantes para el conjunto. En cuanto se suprime cualquier elemento, se altera totalmente el cuadro y se crea uno nuevo.

La diagnosis oriental depende totalmente del contacto persona a persona. El médico oriental observa a la persona enferma, la palpa, la interroga minuciosamente y la escucha con atención.

La relación entre paciente y sanador es tan íntima que llegan a ser uno. El sanador debe dejar de lado su ego y permitir que la información procedente del paciente dirija sus actos. El papel del sanador oriental es pasivo y fortalecedor.

En la diagnosis oriental tratamos de trabajar con las energías restablecedoras de la salud que hay en el interior del enfermo. El sanador no cura al enfermo; es el enfermo quien se cura a sí mismo. Todo lo que hace el sanador es orientarlo para que se cure o recupere él mismo. Así pues, el sanador es esencialmente humilde.

La curación oriental adopta la visión macroscópica. Miramos el cuadro completo, la persona en su totalidad. Damos mucha importancia a la prevención de la enfermedad, buscando mantener y mejorar la salud.

En la antigua China se le pagaba al médico para que conservara la salud del paciente. Si éste se enfermaba, no se le pagaba al médico. Y cuando el que enfermaba era el rey, se decapitaba al médico de la corte. La prevención de la enfermedad era la «medicina» principal.

Otra diferencia entre la medicina oriental y la occidental es que la primera subraya la importancia de la comunicación persona a persona. Este no es un método de tratamiento masificado sino un proceso lento y laborioso en el cual nos fundimos todo lo posible con la vida única de otra persona.

La diagnosis oriental es como la vida: imprecisa. Yo suelo decir que los médicos orientales somos muy sentimentales. Nuestro trato con el enfermo es afable y maternal. Ayudamos al enfermo a ponerse bien. Nuestra intención es que éste utilice su propia capacidad curativa.

La diagnosis y curación oriental es un arte. Es, con más precisión, una práctica espiritual. Es aprender a favorecer la calidad y arte de la vida.

La diagnosis occidental, en cambio, se basa en el enfoque occidental de la vida, el cual está regido por el hemisferio cerebral izquierdo, que es analítico, técnico y científico. Se resta importancia a la relación entre médico y paciente en favor de los informes de laboratorio, análisis de sangre y otros.

Se subraya la objetividad. Se emplean instrumentos muy técnicos para examinar, descubrir hechos, medir y formar un diagnóstico científico en lugar de someterlo a la percepción humana. Las máquinas son una maravilla de precisión. El médico intenta desvincularse profesionalmente de su paciente. Sus observaciones, intuición y emociones personales son secundarias respecto a las mediciones de las máquinas.

Dado que lo principal son las máquinas y los análisis, los médicos pueden asistir a cientos de pacientes. Es un método masificado. Y no hay términos medios; a los ojos de un médico, o se está sano o se está enfermo, una cosa o la otra, nunca las dos.

La medicina occidental define la enfermedad basándose en síntomas. Por lo tanto, su método de curación es sintomático. Para un dolor de cabeza el médico receta una aspirina. Normalmente no se preocupa por la causa subyacente al dolor de cabeza. Aunque la causa evidente del dolor de cabeza sea el estrés o la dieta, el método para superarlo es siempre el mismo: un medicamento. Un sarpullido en la piel suele tratarse con ungüentos de uso tópico; no se considera la causa del sarpullido. Los problemas digestivos suelen tratarse con Alka-Seltzer, antiácidos u otros medicamentos más fuertes.

Para un diagnosticador oriental, un sarpullido o un problema digestivo podrían deberse a un problema de riñones, del hígado o del bazo, cada uno de los cuales podría estar causado por la dieta, el estrés o problemas psicológicos. El método oriental no consistiría en recetar un fármaco sino en recomendar un cambio en el estilo de vida.

La medicina occidental adopta la visión microscópica, tendente a mirar el minúsculo mundo de las bacterias, virus y otros organismos microscópicos. Esto fomenta aún más el uso de fármacos. Se usan fármacos hasta que el problema se hace demasiado grande para los fármacos; entonces, la respuesta es la cirugía. La amigdalitis se trata extirpando las amígdalas; las enfermedades de la vesícula biliar suelen tratarse con la extirpación de la vesícula. Las enfermedades cardiacas se tratan con cirugía de *by-pass* (derivación o anastomosis) o con una operación a corazón abierto. Y así sucesivamente. Los dos recursos de la medicina moderna son los medicamentos y la cirugía, que se usan para tratar síntomas.

El motivo subyacente a este enfoque sintomático es que el cuerpo se considera una máquina, llena de partes móviles. Cada órgano se puede considerar distinto y separado de los demás órganos. En consecuencia, la profesión médica se divide en especialidades.

Si se tiene un problema emocional, se va al psiquiatra; para un problema en el pie se acude al podólogo; para un problema de huesos, se visita a un ortopeda o a un osteópata; para un problema de nariz se consulta a un otorrinolaringólogo; para un problema cardiaco se acude a un cardiólogo, etcétera.

Considerar el cuerpo de esa manera tan fragmentada tiene sus consecuencias. Las diversas especialidades se autoexcluyen mutuamente. El cardiólogo está demasiado ocupado con lo suyo para preocuparse del estudio del hígado, mientras que el médico del hígado está demasiado ocupado para estudiar los riñones.

Una persona que sufre un trastorno hepático puede ir al especialista del hígado. El médico le receta medicamentos que hacen desaparecer el trastorno. Pero los efectos secundarios del medicamento le provocan un problema al corazón. De modo que va al cardiólogo, quien le receta medicamentos que le subsanan el problema. Pero esos medicamentos le causan una enfermedad renal. El paciente va entonces a ver al especialista del riñón, el cual le receta un medicamento; el problema renal desaparece, pero el medicamento le causa un problema de bazo. El paciente va al especialista del bazo, quien le receta medicamentos que hacen desaparecer el problema del bazo, pero le provocan trastornos digestivos que acaban con su vida. Cada especialista dice: «Lo he conseguido», pero el paciente ha muerto. El motivo es que cada especialista sólo ha visto esa pequeña parte del cuerpo que le correspondía, y ha sido incapaz de ver que el cuerpo es una unidad.

El médico occidental da importancia al control de la crisis, un método opuesto a la prevención. Trabaja mejor cuando hay una enfermedad aguda que cuando la enfermedad es crónica.

En última instancia, tanto los médicos orientales como los occidentales son necesarios. Ambos tienen sus puntos fuertes y sus puntos débiles. El sanador oriental emplea el método suave; trata los problemas cuando son pequeños; cuando administra asistencia sanitaria, adopta el criterio amplio, subrayando la calidad de la vida. El médico occidental es muy específico y tiene mayor poder en el control de la crisis, tratando los problemas cuando son grandes. El mundo médico occidental tiende a dar más importancia a la cantidad, o longevidad, de la vida.

LOS CUATRO TIPOS DE DIAGNOSIS

El diagnosticador oriental emplea cuatro métodos o maneras de evaluar la salud y el carácter de la persona. Estos métodos tienen nombres japoneses:

1. *Bo Shin.* Ver u observar a la persona.
2. *Setsu Shin.* Tocar al paciente, palpar su vida.
3. *Mon Shin.* Hacerle preguntas a la persona para obtener información acerca de su estado de salud.
4. *Bun Shin.* Diagnosticar mediante el oído y el olfato (escuchar y oler).

Veamos con más detalle cada uno de estos métodos.

Bo Shin

Hay muchos sinónimos de «ver»; entre otros tenemos «observar», «vigilar», «ojear», «notar», «percibir», «visualizar», «contemplar» y «mirar». Ninguna de estas palabras describe con precisión la manera de diagnosticar mediante la utilización de Bo Shin. Lo más aproximado sería traducirlo por «ser mostrado». Pero pronto veremos que ni siquiera esto es acertado. Normalmente observamos a los demás con los ojos, pero aquí me refiero a observar a las personas con todo nuestro ser, ver a la otra persona como si todo nuestro cuerpo fuera un conjunto de ojos.

Cuando llegue el o la paciente, salúdelo efusivamente y agradézcale que haya venido. La persona debe notar su receptividad; debe reconocer que usted no tiene prejuicios, que usted no hace juicios ni críticas. Su único deseo es ayudarle a su manera, que es limitada. Juntos usted y la persona encontrarán un camino para mejorar su salud. Será una colaboración mutua. Ese es el espíritu con el cual debe abordar a la persona. De ninguna manera es usted superior a ella. Por el contrario, agradece que esa persona haya acudido a usted. Es una experiencia que lo hace humilde.

La persona se sienta frente a usted. Usted la observa hablar, y mientras tanto usted debe vaciarse. No ha de tener ningún pensamiento, ninguna idea preconcebida, ninguna resistencia hacia esa persona. Se libera de su ego, se vacía totalmente.

Déjese entonces invadir por la energía de esa persona, por la sensación de su personalidad. Permita que esa personalidad se imprima en usted, que su fuerza vital influya en usted. Ahora tiene una percepción de su vibración.

Si la observa demasiado atentamente, es señal de que no diagnostica con el método Bo Shin. Si está preocupado por la forma de sus ojos, el color de los labios o de la nariz, pierde de vista el cuadro general. Cuanto más se centre en los detalles, más se alejará de lo realmente significativo. Deje los detalles para después, que tiempo habrá para ellos. Primero acepte su vida, su vibración. Conozca íntimamente a esa persona admitiéndola en su propia fuerza vital. Al hacer esto ha dado el primer paso en apertura y receptividad hacia otro ser humano. No queda nada que le impida comprender completamente a esa persona.

Su humildad y gratitud son esenciales para que esa persona se sienta cómoda; además, eso le ayudará en su diagnóstico. Cuanto más relajada esté la persona, más revelará su verdadera naturaleza. Si ha visto usted a una persona dormida, sabe cuán cierto es esto. Durante el sueño el cuerpo adopta naturalmente una postura que le proporcione más comodidad y curación; la postura para dormir compensa los desequilibrios del cuerpo que se acumulan durante el día. Pero es una terrible invasión observar a una persona dormida, de manera que ha de procurar que la persona no sea consciente de sí misma mientras está con usted.

En realidad, las personas no son conscientes de sus cuerpos durante la mayor parte de su vida de vigilia. En consecuencia, su manera de caminar, de sentarse o de estar de pie revela su manera de pensar, sus malestares físicos, su agresividad o pasividad. Si de pronto toman conciencia de su modo de caminar, de sentarse o estar de pie, lo cambian, para dar una impresión diferente de quiénes son. Así pues, ha de evitar que la persona se sienta cohibida o insegura de sí misma con sus observaciones.

Por este motivo, lo primero que suelo hacer es ofrecerle té. En ese momento todo mi cuerpo está totalmente atento. ¿Cómo acepta la taza? ¿Cómo se sienta? ¿Cuáles son sus reacciones? Cuando entramos en la sala de consulta, la observo atentamente sin que se dé cuenta. De ese modo la veo actuar de manera natural y bajo una luz clara.

En todo caso, cuando estoy preparado para tratarla con mi método, ya me he formado una idea bastante clara sobre su estado de salud.

Cuando la persona se abre y se relaja, tomo conciencia de lo que siento por ella. Mis sentimientos surgen desde mi interior en cuanto comienzo a percibirla como un todo.

A veces le pido que se eche sobre una esterilla y la cubro con una sábana de la cabeza a los pies. Eso es increíblemente revelador. Dejo de ver los detalles de su cara o ropa. Dejo de estar distraído por sus gestos o por algún grano en la mejilla. Sólo veo los contornos más visibles de su cuerpo.

Observo en qué lugares el cuerpo hace bulto y dónde está excesivamente contraído; veo si la persona está estirada sobre la esterilla o doblada. Puede ser que la región de la espalda la tenga abultada, o que la región de los riñones esté contraída. Puede ser que un lado del cuerpo sobresalga y que el otro esté encogido. Miro el cuadro completo. Me hago una idea del lugar donde está el problema.

Después me dejo guiar por el instinto. Le coloco las manos sobre la espalda, en el sitio preciso, e inmediatamente la persona me dice: «Muchas gracias, Ohashi, ahí es justamente donde deseaba que me tocara. He venido justamente para eso». Le doy un masaje suave, percibiendo la energía. Entonces ya puedo continuar con el siguiente paso.

Cuando se usa el diagnóstico Bo Shin, uno es un artista que contempla a la otra persona como si fuera una gran obra de arte. Se la aprecia con mucha profundidad, reconociendo cada matiz, cada pista hacia su ser interior. Para llegar a ese punto de vista es necesario crecer como persona; para apreciar verdaderamente los puntos sutiles de la persona es necesario elevar la propia conciencia.

Es esto muy parecido a apreciar las bellas artes. En el caso de la música, cuando uno es un principiante se le escapan muchos matices. Pero pasados diez años se escuchan cosas que uno ni soñaba que existieran. Lo mismo ocurre con la diagnosis. Cuanto más se analiza a las personas, más crece la apreciación de ellas.

Setsu Shin

Si bien el sentido literal de Setsu Shin es «diagnosis de palpación», el sentido más profundo es mucho más abstracto. Setsu Shin significa tocar el núcleo de la persona, palpar su ser interior. En Setsu Shin hay un aspecto que significa «cortar, abrir el núcleo» o «usar las manos como si fueran cuchillos». De esta manera se intenta describir cómo uno perfora las capas exteriores de la personalidad, o ser físico, de otra persona, para entrar en su interior, para palpar su naturaleza interior o alma.

Estrechar las manos es un ejemplo de Setsu Shin. Siempre que le estrechamos la mano a alguien, percibimos su carácter, «sentimos» su naturaleza interior y tratamos de comunicarle la nuestra. Cuando estrechamos la mano a otra persona se produce un intercambio de información sutil pero profundo. Eso es Setsu Shin.

Cuando administro Ohashiatsu penetro profundamente dentro de la persona, palpando cada fibra y cada hueso, percibiendo cada resistencia, cada matiz de su carácter. Permito que mi energía palpe las profundidades de la vida de esa persona. Siento su ser. Es como si introdujera mi vida en su vida. Palpo su ser completo. Esta es la exploración abstracta que hago. Toco la vida, lo que no podemos tocar.

Mis dedos y palmas se convierten en mis ojos. Exploro a la persona con mis manos, con todo mi ser, con mi espíritu. Trato de entender a esa persona física, emocional, psicológica y espiritualmente; es decir, en todos sus aspectos.

Hay que estar abierto y sensible a la persona. Si uno muestra una actitud crítica, la persona se cierra y entonces deja de ser accesible; de esta manera no se le puede prestar ninguna ayuda. Suelo decir que la persona que diagnostica es la persona diagnosticada. Los fallos de la persona que diagnostica limitan su capacidad para comprender a la persona a quien se desea ayudar. La culpa no es del paciente sino de quien diagnostica.

Mon Shin

Hacer preguntas es, evidentemente, la manera más directa de evaluar la salud de alguien. «¿Tiene algún síntoma o problema personal en estos momentos?», se puede preguntar. De este modo se entabla una conversación con la persona.

Sin embargo, es necesario escuchar no sólo lo que se dice sino también lo que no se dice. Buscar aquellos aspectos que la persona evita, detectar los temas sensibles para ella por la manera como se refiere a ellos. Por ejemplo, cuando resta importancia a un tema serio, o se desliza por la superficie de otro que parece significativo. ¿Por qué? Habrá que ir tomando notas mentales.

Mientras la persona habla, observe si hace muchos gestos faciales o movimientos con las manos. Muchas veces los movimientos tienen por objeto distraer la atención de lo que se está diciendo. Observe el lenguaje corporal a la vez que escucha atentamente lo que dice. ¿Hay correlación entre un gesto concreto y un tema importante? ¿Se cruza de piernas o de brazos, o contrae el cuerpo cuando se toca un tema sensible? Palpe suavemente con las preguntas, pero si nota que la persona elude un aspecto, no la culpe. No obligue a la persona a encerrarse en un caparazón. El objetivo es ganarse la confianza de la persona para poder ayudarla. Conozca sus propios límites.

Bun Shin

Definir Bun Shin como «diagnosis de escuchar» puede inducir a error. Lo que quiero decir con «escuchar» es entender la calidad de la voz de la persona. Aquí también se escucha con todo el cuerpo. El oído es simplemente el símbolo de la capacidad general para oír; es el órgano auditivo más concreto, pero es todo el cuerpo el que escucha y oye. Cuando la otra persona hable, escúchela con todo el cuerpo.

Cuando se escucha de esta manera, se percibe la vibración de la voz de la persona y se deja que esa vibración se imprima en nuestro ser.

¿De dónde procede la voz? La primera respuesta puede ser la evidente, que la voz procede de la laringe, pero ese es sólo un lugar de donde sale la voz. Si es una voz profunda, procede del fondo del estómago o incluso de más abajo, de debajo del ombligo; si la voz contiene mucha emoción, de la región del corazón; si hay rabia en la voz, procede del hígado; si la emoción dominante es la compasión, entonces procede del bazo; si hay miedo en la voz, probablemente indica un desequilibrio en los riñones. Si se percibe debilidad en la voz, probablemente procede de la garganta. Algunas voces proceden de los senos nasales o de la parte superior de la cabeza. Estas voces son débiles, delgadas y suaves.

¿Cuál es el sentimiento dominante de la persona cuando habla? ¿Hay risa, lágrimas o rabia en la voz? ¿Es una voz crítica, una voz intelectual, o una voz profundamente emotiva?

La voz revela muchísimo acerca de la salud mental, emocional y física de la persona en esos momentos. Una persona puede elegir palabras que encubran sentimientos más profundos. Un paciente puede tratar de ocultar sus verdaderos sentimientos, pero la voz lo delata. Escúchela atentamente; permita que la voz le diga lo bien o lo mal que la persona se siente realmente.

Bun Shin también incluye la diagnosis del olor. Para oler claramente el cuerpo de otra persona es preciso que la propia salud y estado estén muy limpios. No se puede oler algo que emana del cuerpo de otra persona cuando del propio cuerpo emana lo mismo. Soy japonés, por lo tanto no puedo oler muy bien a los japoneses, pero capto muy bien el olor de los estadounidenses y europeos.

Cuando uno ingiere muchos alimentos nocivos, grasas y azúcares, no puede oler lo que emanan estos alimentos a través del cuerpo de otra persona. Pero si el propio cuerpo está limpio, se puede oler muy bien lo que elimina otra persona.

En general, las personas que ingieren muchos alimentos de origen animal despiden un olor más fuerte porque tienen el cuerpo lleno de amoniaco. Dentro del cuerpo las proteínas se descomponen en amoniaco, el cual es muy tóxico y despide mal olor. Estas personas suelen cubrir sus cuerpos con potentes desodorantes, perfumes y colonias. Si una persona huele mucho a colonia, a menudo querrá decir que su sentido del olfato es débil y que su olor personal es fuerte, lo cual la impulsa a perfumarse demasiado.

Los desequilibrios hormonales pueden producir mal olor, como ligeramente a quemado, provocado por la grasa y el amoniaco que son la causa de tal desequilibrio.

Para desarrollar la capacidad de la diagnosis del olor, es necesario seguir una dieta compuesta principalmente por cereales integrales, verduras y cantidades pequeñas de pescado. Los cereales, las verduras, la legumbres y otros alimentos vegetales despiden agua y dióxido de carbono cuando se queman como combustible, constituyentes que son fácilmente eliminados del cuerpo sin mucho esfuerzo ni olor.

Tenga presente que cuando diagnostica a una persona, usted entra en su mundo privado. Le pide que le permita entrar más adentro en ese mundo para poder servirle de ayuda. Eso requiere un sentido muy desarrollado de la corrección y los buenos modales, así como estar movido por las intenciones más nobles. La diagnosis oriental es un arte delicado que debe practicarse con respeto hacia los seres humanos y a su derecho a la intimidad.

La actitud más apropiada que se puede tener cuando se diagnostica a otra persona es de amor. Cuanto mayor es el amor por esa persona, más se podrá ver en ella y más será lo que ella nos permita saber.

2

¿Cómo se puede leer el cuerpo?

L A PRIMERA PREGUNTA que se hará cuando lea este libro va a ser: ¿Cómo puede una arruga de la cara o la forma de la nariz de una persona indicar algo sobre su salud o carácter?

En el mundo moderno no hay ninguna respuesta a ese tipo de preguntas, pero en Oriente, así como en muchas culturas occidentales tradicionales, existe una filosofía fundamental cuya aplicación revela el significado que se oculta detrás de nuestros rasgos físicos. Me refiero a la filosofía del yin y el yang.

Comencemos, entonces, nuestra comprensión de la diagnosis oriental informándonos acerca del yin y el yang.

EL YIN Y EL YANG: LAS FUERZAS DEL CAMBIO

El yin y el yang se pueden considerar los poderes que hacen posible la realidad física. Son las herramientas de Dios, por así decirlo. Sin esos dos contrarios, en las formas de tiempo y espacio, luz y oscuridad, masculino y femenino, dimensiones (por ejemplo, cerca y lejos, arriba y abajo, izquierda y derecha), nada sería posible en el mundo físico. En las culturas antiguas la gente comprendía muy bien todo esto. De hecho, la Biblia comienza:

> Al principio creó Dios el cielo y la tierra. [...] Dijo Dios: «Que exista la luz». Y la luz existió. Vio Dios que la luz era buena; y separó Dios la luz de la tiniebla: llamó Dios a la luz «día» y a la tiniebla «noche». Pasó una tarde, pasó una mañana, el día primero.*

---

* La traducción está tomada de *Nueva Biblia Española*, versión castellana dirigida por Luis Alonso Schökel y Juan Mateos, Ediciones Cristiandad, Madrid, 1975.

Todo lo que creó Dios estaba compuesto de contrarios: cielo y tierra, luz y oscuridad, mañana y tarde, tierra y océano, masculino y femenino.

En la Antigüedad los sabios estudiaban estos contrarios para comprender sus naturalezas. Descubrieron que en el cielo estaban el Sol, la Luna, las estrellas y los planetas, y que todos enviaban una lluvia de energía sobre la Tierra en forma de luz solar, rayos cósmicos y fuerzas gravitatorias. Del cielo también emanaban otras fuerzas: el viento, el tiempo atmosférico, las estaciones y los climas. Estas fuerzas provenían de arriba y seguían un camino descendente hacia la Tierra; se las llamó yang.

En general, la fuerza yang hace que las cosas se contraigan o se acerquen a la Tierra. La gravedad, por ejemplo, es yang.

Los sabios descubrieron que la Tierra, por su parte, tenía una naturaleza totalmente diferente. Gira sobre su eje, haciendo que la energía vuele hacia fuera y hacia arriba, hacia el cielo. A esta fuerza la llamaron yin. Tenía una influencia expansiva.

Las cosas que crecen hacia arriba, como los árboles y muchas plantas, son yin.

La contracción, o la fuerza yang, se produce en la espiral centrípeta, es decir, en la espiral que aprieta o contrae hacia el centro. La expansión, o la fuerza yin, se produce en una espiral centrífuga, es decir, la que abre y expande fuera del centro.

El yin y el yang tienen otras características. Las cosas yin son más pasivas, más ligeras, porosas y húmedas, mientras que las cosas yang son más activas, más pesadas, densas y secas. Cuando se infla un globo se lo hace más yin. La noche es menos activa, y está menos cargada de energía que el día; es la parte más yin del día. El sexo femenino es el más yin. El cielo, como creador de todas las cosas, es el elemento más activo, o más yang, mientras que la Tierra, la receptora del cielo, es el elemento más pasivo, más yin.

Las cosas que se expanden alejándose de la Tierra se van haciendo más yin, mientras que las que son comprimidas hacia abajo, sobre la Tierra se van haciendo más yang. Las personas altas generalmente son más yin que las personas bajas. Cuanto más delgada, frágil y menuda de constitución es una persona, más yin se dice que es.

A las personas yin les gusta más el trabajo intelectual que el manual. Les gusta más el trabajo de oficina que, digamos, cavar pozos o construir edificios. (Cuando hablemos de la forma de la cara y la cabeza desde el punto de vista yin/yang, se verá con más claridad las diferencias entre constituciones yin y yang.) Las personas de constitución yin prefieren el interior de la casa, son personas introvertidas.

Las personas de constitución yang suelen ser más bajas y de huesos más voluminosos. Tienden a ser más activas y orientadas hacia lo físico. Les gustan los trabajos manuales; disfrutan con actividades al aire libre, les encanta estar con gente; son más extrovertidas.

Todas las cosas poseen en sí yin y yang. Por ejemplo, la parte yin de un árbol la constituyen las ramas y las hojas, es decir, la zona que se extiende hacia arriba y hacia fuera, mientras que la parte yang se concentra principalmente en las raíces. El tronco es también yang, pero el pie es más yang que la parte de arriba.

Cada uno de nosotros posee grados de yin y grados de yang. Muchas personas poseen yin y yang en grado extremo. Los jugadores de baloncesto constituyen un buen ejemplo de esto. Son altos, pero de huesos grandes, muy fuertes y activos.

Todo en el cuerpo humano funciona gracias al yin y el yang. El corazón, por ejemplo, bombea sangre en virtud de su capacidad para contraerse (yang) y expandirse (yin); los pulmones respiran aire en virtud de su capacidad para contraerse y expandirse; los músculos funcionan mediante la expansión y contracción. El yin y el yang están por todo el cuerpo humano, así como en todas las actividades que realizamos durante el día y la noche.

Lo importante aquí es que necesitamos vivir de acuerdo a nuestra naturaleza. Si una persona es de naturaleza más yin, va a ser muy desgraciada trabajando en albañilería o en cualquiera otra profesión que sea muy yang. La inversa también es verdadera: las personas yang sufren mucho si se las obliga a estar ante un escritorio todo el día.

El yin y el yang se pueden aplicar también a zonas concretas del cuerpo. Por ejemplo, la cabeza es la parte más yin, y los pies la parte más yang. El acto de pensar tiene lugar en la cabeza; los pensamientos, que son intangibles, efímeros y cambiantes, son formas de energía extremadamente yin. Por otro lado, los pies descansan sobre la Tierra, que es sólida, estable, material y firme, todas características yang.

La parte exterior del cuerpo es más yin que la interior, y la parte superior es más yin que la inferior.

El ambiente, nuestras actividades o estilo de vida y los alimentos que consumimos influyen en nuestro cuerpo, haciéndolo expandirse o contraerse. El ejercicio, por ejemplo, tiene un efecto yang o contractivo; tensa y fortalece los músculos, en cuanto se opone a los músculos fláccidos, flojos y expandidos. Ciertos alimentos, como la sal, la carne y los quesos secos, tienen un efecto yang, mientras que otros, como la fruta y el azúcar, y algunas bebidas como los zumos de frutas y el alcohol, tienen un efecto más yin en nuestros pensamientos y cuerpos. El azúcar y las bebidas alcohólicas, por ejemplo, hacen que nuestro pensamiento se descentre y sea menos intenso, y que nuestros cuerpos sean menos coordinados y más descontrolados. El consumo excesivo de carne u otros alimentos proteínicos nos impulsa a pensar y actuar con más agresividad, y a tratar de controlar nuestro entorno. Se considera que los cereales integrales están en el centro del espectro yin-yang; el pescado es ligeramente yang; las legumbres y verduras, ligeramente yin.

Las influencias yin tienden a actuar en la parte superior del cuerpo, desde el plexo solar hacia arriba, mientras que las influencias yang tienden a actuar en la parte inferior del cuerpo, desde el plexo solar hacia abajo. Como todo cardiólogo sabe, la sal (alimento muy yang) tiende a afectar los riñones, mientras que el alcohol (substancia muy yin) tiene un efecto directo e inmediato en el cerebro y el sistema nervioso.

Una de las leyes de la diagnosis oriental, que voy a repetir a lo largo de todo el libro, es que lo macro se puede ver en lo micro. El yin y el yang hacen esto posible. La cara, por ejemplo, tiene una parte yin y una parte yang. Si se traza una línea por el medio de la cara, desde la base de una oreja a la base de la otra, la zona que queda encima de la línea es la parte yin, y la zona de abajo es la parte yang. La zona yin de la cara (pómulos, nariz, ojos, frente y cuero cabelludo) representa la zona yin del cuerpo (pulmones, corazón, hígado y sistema nervioso). La parte que incluye la boca representa la zona más yang o inferior del cuerpo, es decir los intestinos y los órganos sexuales. Lo mismo ocurre en el resto del cuerpo.

A medida que avancemos, voy a hablar muchísimo sobre la influencia que nuestro estilo de vida, actividades y dieta ejercen en nuestra vida, dependiendo de los cambios que se producen en el equilibrio yin-yang en nuestro interior.

Por ahora, es importante saber que el cuerpo es una totalidad, un sistema integrado. Este sistema está continuamente influido por el yin y el yang, una vez dominado por uno, después por el otro. Si entendemos nuestros desequilibrios peculiares podemos entendernos más profundamente a nosotros mismos y aprender a tomar las medidas necesarias para recuperar el equilibrio y armonía de nuestra vida. De esa manera, podemos ayudar a otras personas a curarse, o bien orientarlas hacia una vida más feliz.

La verdadera percepción íntima de la naturaleza de otras personas y de nosotros mismos depende de nuestra capacidad para comprender el yin y el yang y la manera como se manifiestan en cada una de las personas que tratamos.

Comencemos por examinar las maneras como se pueden utilizar el yin y el yang para discernir el carácter, el talento y la salud a partir de los rasgos de la cara.

LA CARA

La cara es la parte más reveladora del cuerpo humano cuando se trata de leer los sentimientos de otra persona o percibir su carácter. Incluso aquellos que no saben nada de diagnosis oriental analizan las caras de los demás cuando tratan de discernir lo que opinan sobre ciertos temas importantes. La cara es la parte más sensible del cuerpo y la que más reacciona. Ninguna otra parte externa del cuerpo revela con tanta claridad los cambios sutiles interiores.

¿A qué se debe esto? Un motivo es que la cara es una compleja red de músculos. Sólo en la cara y cabeza hay diez sistemas de músculos con un total de casi cuarenta músculos individuales. Estos músculos dan a la cara una gran flexibilidad y expresividad.

Además de sus sistemas de músculos, la cara tiene una increíble combinación de rasgos (ojos, nariz, boca, cejas y mandíbulas), cada uno capaz de un amplio abanico de movimientos y matices. Como sabe todo jugador que se precie de tal, estos rasgos por sí solos proporcionan una enorme cantidad de información sobre lo que siente la persona. Con una simple mirada, la cara puede decir una infinidad de cosas, sin pronunciar una sola palabra.

La cabeza (incluida la cara y las orejas) es el centro sensorial del cuerpo. Los ojos, la nariz, la boca y las orejas son cuatro de los cinco sentidos táctiles.

Estos órganos son también la puerta de acceso a otros sistemas mayores. La boca es la entrada del tubo digestivo; la nariz, de la respiración; los ojos, del nervio óptico, cerebro y sistema nervioso; las orejas, del oído. Evidentemente, existe una clara relación entre cada entrada y el sistema mismo: cuando el sistema respiratorio y los senos nasales están llenos de mucosidad, la nariz tiende a moquear. Cuando hay algún problema de digestión, solemos tener mal sabor de boca. El nerviosismo y la tensión suelen revelarse en los ojos. Estos son sólo unos pocos de los signos evidentes que las personas utilizan para detectar el estado interior de otra persona.

Pero aparte de estos trozos de información normal, está la verdad más grande de la cara, la de que, a no ser que uno sea un mentiroso patológico, es difícil impedir que la cara revele los sentimientos. La felicidad se nota; también la infelicidad. Asimismo se notan el aburrimiento, la vergüenza, la concentración, la inquietud, la perplejidad, la enfermedad y la salud. La cara es sincera. Revela la verdad de nuestro interior. Y ocurre así incluso en las ocasiones en que nos gustaría que fuera de otra manera. A eso se debe que las personas estudien naturalmente la cara de otra persona para detectar su carácter, pensamientos y naturaleza interior.

En Oriente hay un dicho de la sabiduría popular que dice que a los cuarenta años uno ya es responsable de su cara. Esto significa que mientras uno es niño, adolescente e incluso adulto joven, la cara es todavía el resultado de la herencia familiar y el entorno, pero a los cuarenta años ya ha vivido su propia vida lo suficiente como para haberse creado a sí mismo; se es un adulto, totalmente responsable de su situación y de su cara.

A medida que nos hacemos mayores va surgiendo poco a poco nuestro carácter; nuestros verdaderos principios quedan grabados en nuestra cara. Estos principios no son necesariamente los que reconocemos tener. Poco a poco, las situaciones sociales, políticas y económicas de nuestra vida se van esculpiendo en nuestro rostro. En las caras de las personas podemos percibir todo tipo de características: inteligencia y torpeza, carisma y odio a sí mismo, honradez y deshonestidad. Percibimos estas cosas aun cuando no sabemos nada de la persona a la que estamos mirando.

A los cuarenta años el carácter ya se nota en la cara. Pero esto no quiere decir que la cara ya esté terminada; aún queda mucha vida por delante, para uno y su cara. Pero ya es plenamente responsable de lo que es y de lo que será.

Las características únicas de cada cara son asombrosas. No hay manera de expresar esa realidad de manera adecuada. La creatividad del Universo es pasmosa. Cuando voy por la calle en Tokio, me sorprende la unicidad y complejidad de las caras japonesas. Y, sin embargo, esas características faciales tienen muchas similitudes. Al fin y al cabo prácticamente todos los japoneses tenemos pelo negro (con la excepción de los que ya lo tienen canoso), piel amarilla y ojos oscuros. Los hombres somos de altura, peso y constitución similar. Entre las mujeres también existen muchas similitudes. Y, sin embargo, no hay dos caras iguales. Cada una tiene su carácter único.

Cuando uno va por una calle en Nueva York, se ve frente a un arco iris de colores de piel, nacionalidades, estaturas, pesos y formas. La mente alucina. ¡Qué infinita maravilla! Esa pasmosa variedad ha sido creada con los mismos elementos básicos: dos ojos, una nariz, una boca, y una bola irregular como cabeza.

Usted tal vez se pregunte: Dada esta enorme diversidad, ¿cómo es posible decir algo sobre el rostro humano excepto que cada uno es único?

He aquí otra notable paradoja: en la diversidad encontramos notable coherencia. El cuerpo humano está formado por una ley universal. Sabemos que el ADN asegura la integridad de la forma humana básica. Pero, ¿qué es lo que asegura la integridad de la forma básica del ADN? La respuesta es: la ley invisible que da forma al Universo. Esa ley en sí misma es un producto del Gran Espíritu, que es infinitamente creativo y al mismo tiempo extraordinariamente coherente. Constituye el fundamento real de la vida. La vida biológica no es otra cosa que un síntoma de la ley que subyace en el Universo. Si estudiamos los síntomas, o las manifestaciones externas de la vida, lo que nos revela es la naturaleza no vista de las cosas bajo la superficie.

En Oriente, a esta ley subyacente o espíritu suele llamarse Tao. En Occidente, por supuesto, se le da el nombre de Dios. Ni Tao ni Dios se pueden describir; superan la comprensión humana. Lo que podemos describir es la ley por la cual se rige. En Oriente llamamos a esta ley yin y yang.

Como he dicho anteriormente, el yin y el yang son opuestos diametrales. Son fuerzas complementarias pero contrarias que se combinan para formar todos los fenómenos.

Lo primero que se debe comprender es que la mayoría de nosotros somos combinaciones de yin y yang. En el lado yin del espectro tenemos grados de pasividad, receptividad y desarrollo intelectual, mientras al mismo tiempo tenemos características yang, como la agresividad, la automotivación y el enfoque. Sin embargo, por lo general nuestras constituciones están desequilibradas a favor de uno u otro.

Al desarrollar la comprensión y conocimiento propios hemos de llegar a saber cuáles de nuestras características son yin y cuáles son yang y actuar en consecuencia. Lo ideal es esforzarse para conseguir el equilibrio entre los dos y crear la mayor armonía y paz interior.

Podemos aprender muchísimo sobre el equilibrio yin-yang observando la forma y características de la cabeza, y, sobre todo, estudiando los rasgos individuales de la cara.

Es importante tener presente la distinción entre rasgos constitucionales, es decir las características formadas por nuestros genes, y los rasgos condicionales, es decir las características que cambian día a día, semana a semana o mes a mes. Las características constitucionales nos son dadas en el nacimiento y tienden a ser heredadas: grupo sanguíneo, sexo, salud innata. Los rasgos genéticos o constitucionales revelan nuestra naturaleza subyacente. No hay naturalezas malas ni rasgos constitucionales malos. En la diagnosis oriental, todo es potencialmente bueno y, como ya he dicho, todo depende de cómo consideramos la característica y usamos la capacidad que indica. Los rasgos genéticos no se pueden cambiar, sólo se pueden llevar a la realización plena o reprimir. Las características constitucionales dicen mucho acerca del ser fundamentalmente espiritual que somos.

Sin embargo, tenemos muchos rasgos condicionales o temporales que nos revelan una gran cantidad de cosas acerca de nuestra actual salud física, mental y espiritual. Estas características están cambiando continuamente. Así, una profusión temporal de sangre en los capilares sanguíneos de los ojos; una mancha de sarpullidos o granitos en la cara; la inflamación de una determinada parte del cuerpo, debajo de los ojos, por ejemplo, revelan el estado actual de nuestra salud. Podemos cambiar estas características cambiando ciertas pautas o normas en nuestro estilo de vida, por ejemplo respecto al ejercicio, formas de comer y formas de pensar.

Nuestra salud suele ser más fuerte y vital cuando nuestra vida se adecua a nuestras características constitucionales. Si su naturaleza es para ser músico pero trabaja de ingeniero de construcción, va a sufrir trastornos de salud, sobre todo si la situación le produce contradicciones graves. Entenderá más claramente lo que quiero decir cuando pasemos al tema siguiente: los rasgos constitucionales que revelan el tamaño y la forma de la cabeza.

La cara y el carácter yin

La forma de la cara yin suele semejar una lágrima invertida, ancha en la zona de la frente y estrecha en la barbilla. La frente es alta y ancha. La persona yin tiene ojos grandes y cejas redondeadas que suelen arquearse hacia arriba por encima de la nariz y bajar hacia los extremos de la cara. Las cejas suelen estar bastante separadas. La cara yin suele ser estrecha. Estrechos son también el puente y las ventanillas de la nariz. La cara yin tiene la piel pálida; los pómulos no son muy pronunciados ni desarrollados.

Los escritores Tom Wolfe y Joyce Carol Oates, el presidente austríaco Kurt Waldheim y el personaje de historieta Olive Oyl tienen todos variaciones de cara yin.

La boca de una cara yin es moderadamente ancha, de labios más bien pálidos debido a la falta de circulación. En general, las personas yin tienen mala circulación sanguínea, lo cual les hace tener el cuerpo más frío; en consecuencia, no les gusta el tiempo frío y tienen propensión a permanecer dentro de casa. Detestan el trabajo físico duro.

El cuerpo yin es delgado y a veces frágil. Una persona yin raramente es obesa.

Las personas yin suelen tener poco apetito, pero su actitud ante la comida suele inclinarse hacia uno de dos extremos: o bien se convierten en apasionados gastrónomos, conocedores de alimentos y vinos, o bien son indiferentes, considerando el alimento desde el punto de vista puramente utilitario. El tipo yin rara vez se encuentra en el medio. Sea cual sea el extremo que sigan, las personas yin por norma prefieren los alimentos dulces y más ligeros. En general tienen una digestión débil y suelen sufrir de diarreas.

La persona yin tiene una disposición refinada, una voz suave y un comportamiento por lo general amable. Los tipos yin son muy sensibles, sobre todo ante sus propias emociones. Aunque suelen ser personas muy emotivas, tienen cierta dificultad para expresar sus sentimientos. Tienden a quedarse atrapadas en su pasado, sobre todo en los acontecimientos dolorosos. Las personas yin son dadas a la melancolía y la depresión; consideran el mundo un lugar de lucha y dolor, y a veces dudan de que estas cosas tengan mucho sentido. Pueden ser tímidas y, ocasionalmente, encerrarse en sí mismas. Tienden a ser introvertidas. Deben evitar la mentalidad de víctima, que puede ser un obstáculo en el camino hacia el éxito.

Los tipos yin son muy intelectuales, ven la vida a través de la mente; con frecuencia son inteligentes y cultos. Dado que su sensibilidad está a flor de piel, a veces la vida les parece excesivamente dura y abrumadora, debido a lo cual muchos se refugian en su intelecto para enfrentar el sufrimiento diario. En esas ocasiones, el tipo yin puede parecer tan intelectual como si estuviera retirado de gran parte de la experiencia humana.

Las personas de constitución yin suelen poseer una intuición muy sensible. Si logran trascender sus propios centros emocionales, pueden convertirse en verdaderos radares capaces de detectar los estados de ánimo, actitudes y pensamientos de otras personas.

Las personas yin tienden a orientarse hacia la espiritualidad. Se sienten atraídas por los estudios religiosos, filosóficos y místicos. Su intuición y sensibilidad las lleva a investigar sueños, visiones y temas psicológicos y espirituales más profundos. Si consiguen permanecer conectadas con la realidad, pueden ser unas orientadoras psicológicas extraordinarias.

Su aguda sensibilidad e intuición se revela muchas veces en talentos artísticos muy refinados. Los tipos yin suelen ser escritores, pintores y músicos. Poseen la capacidad de expresar los aspectos más sutiles de la experiencia humana.

Disfrutan quedándose hasta tarde por la noche. Son bebedores de café y vino, y disfrutan sobre todo con las tertulias nocturnas. Sus horarios generalmente violan los horarios de la naturaleza; se acuestan tarde y continúan despiertas hasta entrada la madrugada. En consecuencia tienen dificultades para salir de la cama por la mañana. También tienen el sueño ligero y suelen necesitar un tiempo para quedarse dormidos.

A veces se ven personas que tienen una cara estrecha yin y un cuerpo fuerte y atlético. Esta combinación de cabeza yin y cuerpo yang indica la presencia de dos extremos en la misma persona, lo cual puede presentarle algunas contradicciones difíciles de resolver. Estas personas se encuentran atraídas a formas más bien yin, como un interés apasionado por la comida, preferir las horas tardías y llevar un estilo de vida pasivo, pero también hacia formas más bien yang, como la participación en deportes, mucho contacto físico y un estilo de vida activo. Estas personas han de esforzarse mucho para conseguir el equilibrio. Si no reconocen esa necesidad y no toman las medidas necesarias, van a sufrir problemas de salud.

Las personas de constitución yin deben cuidar celosamente su salud. Para empezar, suelen tener una constitución frágil, y su amor por los alimentos suculentos, dulces, vino y estimulantes puede acarrearles una diversidad de trastornos digestivos y enfermedades del bazo, sistema linfático y riñones.

Deben evitar también una especie de arrogancia yin: la sensación de fría superioridad, ya que podrían caer en una actitud de desprecio por los demás, desde el punto de vista intelectual o cultural. Es fácil que sean consideradas esnobs.

Para mantener la salud y el equilibrio, la persona yin necesita ejercicios y una dieta equilibrada (véase el capítulo 9, «Programa para una salud mejor»). Caminar, correr, practicar deportes (por ejemplo tenis, baloncesto, frontón) con regularidad, son ejercicios excelentes. Además, deberá mantenerse en contacto con la naturaleza y experimentar continuamente los elementos: el frío, la lluvia, el sol y la tierra. Ha de cultivar la tolerancia y la resistencia, y ha de sentir y fortalecer su cuerpo para equilibrar su inclinación natural a morar exclusivamente en su mente.

La cara y el carácter yang

La cara yang es entre redonda y cuadrada, con una mandíbula ancha que le da apariencia de fuerza. Entre la frente y la mandíbula es más equilibrada que la cara yin. En los casos extremos, la mandíbula puede parecer más ancha que la parte superior de la cabeza.

La persona de cara yang tiene la boca ancha; cuando el tipo yang está sano, los labios son carnosos y rojos. La nariz es ancha, con ventanillas abocinadas. Los ojos tienden a ser entre medianos y pequeños, enmarcados por unas cejas muy pobladas que generalmente se unen sobre el puente de la nariz. La frente puede ser desde normal a estrecha. La cara tiende a ser roja; ocasionalmente aparecen venas en la superficie de la piel alrededor de los ojos o de la nariz.

Entre las caras yang más conocidas están las del ex presidente de Estados Unidos Ronald Reagan (cara yang cuadrada), el ex presidente soviético Mijaíl Gorbachov (cara yang redonda), el canciller alemán Helmut Kohl (redonda también), el tenor Luciano Pavarotti (gran cabeza redonda y mandíbula ancha) y la soprano Beverly Sills (cabeza redonda también).

Las personas yang gozan de un excelente apetito, acompañado de una excelente digestión, de lo cual suelen abusar. Comen grandes cantidades de alimentos, son efusivas en sus elogios de la comida y sobre el o la cocinero/a, y encienden su puro cuando la comida ha terminado. Son aventureros del comer: experimentan movidos por la única razón de tener una nueva experiencia. Disfrutan particularmente de los platos condimentados y suculentos. Las personas yang aman la comida, pero no suelen convertirse en gastrónomas. No lo necesitan; les gusta todo lo que comen.

A la persona yang también le gusta la cerveza y los licores fuertes.

La persona yang suele tener la voz fuerte; de hecho, muchos hombres yang poseen un auténtico vozarrón.

Su cuerpo es fuerte, con frecuencia musculoso, pero tiende al sobrepeso. Irónicamente, el gran apetito de las personas yang no les atrae hacia las drogas; les gusta saborear sus excesos, y las drogas tienden a embotar el gusto.

Las personas yang son demostrativas en el amor. Sus emociones son fuertes, y también su impulso sexual. No tienen problemas para manifestar sus sentimientos, sean de amor o de rabia, y si se irritan lo suficiente pueden llegar a ser violentas.

La persona yang concilia el sueño con facilidad, duerme profundamente y sigue los ciclos de la naturaleza. Antes de medianoche les entra sueño, y se despierta naturalmente con la salida del Sol. Empieza a trabajar temprano y conserva la vitalidad durante todo el día.

Una persona yang puede convertirse con gran facilidad en adicta al trabajo, centrándose exclusivamente en su objetivo y dejando de lado toda distracción; entre estas distracciones muchas veces están la familia, los amigos, y su propia salud, lo que las hace propensas a crisis nerviosas.

El tipo yang disfruta con el trabajo físico, los deportes, y es amante del aire libre. Le gusta el desafío que supone el aire libre, y ama la naturaleza. Prefiere las temperaturas frescas a las cálidas.

Es posible que las personas yang no siempre tengan gran sensibilidad. A muchas personas, sobre todo a las yin, les parecen francamente insensibles. Los tipos yang tienden a ir directamente al tema evitando la diplomacia, a no ser que ésta les convenga. Pueden ser bruscos e imperiosos, e incluso brutales. Deben evitar convertirse en matones. Su fuerza les da la impresión de que pueden obligar a los acontecimientos y personas a conformarse a su voluntad. Esto los hace propensos a ser excesivamente manipuladores, y puede llevarlos al poder en política, lo que normalmente tiene por consecuencia su propia destrucción en algún momento del proceso.

A las personas yang les aconsejo que eviten la arrogancia, la agresividad excesiva y la ira.

Debido a su amor por los alimentos grasos, las bebidas alcohólicas y el tabaco, las personas yang son más propensas a las enfermedades cardiacas, la hipertensión y las enfermedades del colon, sobre todo el cáncer de colon. He aquí un ejemplo de cómo una fuerza puede transformarse en una debilidad. Los tipos yang tienen una digestión fuerte natural, pero debido a esa fuerza tienden a abusar de sí mismos en la comida y la bebida, produciéndose trastornos digestivos. Si vivieran con moderación, condición obligada para aquellos que por naturaleza son menos fuertes, no estarían tentados a comer y beber tan abusivamente.

El tipo yang necesita pasatiempos reposados, música suave y muchas plantas para generar oxígeno en la casa. La jardinería, la oración y la meditación pueden ofrecerle un maravilloso equilibrio a su agresividad natural.

Las personas yang necesitan apreciar las cosas yin de la vida: la amabilidad y el cariño de la familia, el reposo que ofrece la naturaleza y la paz de la oración. Han de reconocer sus limitaciones, cosa nada fácil para este tipo de personas, para no quemarse.

LAS TRES ZONAS DE LA CARA: FRENTE, REGIÓN MEDIA Y MANDÍBULA

Como todo el mundo sabe, la cabeza del ser humano prehistórico era muy diferente de la del ser humano moderno. Los arqueólogos han descubierto cráneos y fragmentos de huesos de un antepasado humano llamado *Australopithecus africanus,* que vivió entre dos a tres millones de años atrás, que tenía características similares a las de los monos: nada de frente (lo que refleja el hecho de que el *A. africanus* tenía un cerebro muy pequeño y pensaba muy poco con lo que tenía), una nariz ancha, y una mandíbula grande y ancha que sobresalía del resto de la cara hacia delante, con grandes dientes. En la cabeza del *A. africanus*, lo que más llama la atención es la zona bajo la nariz.

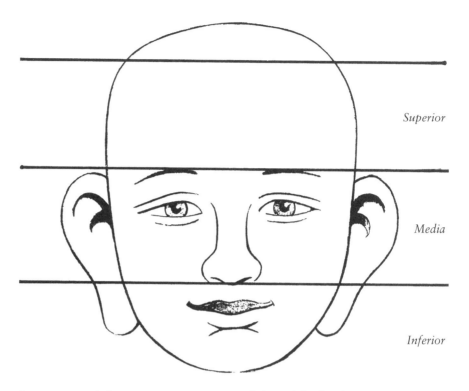

Las tres zonas de la cara: zona superior, entre la línea del pelo y las cejas; zona media, entre las cejas y la base de la nariz; zona inferior, bajo la nariz.

Hace dos millones de años apareció otro antepasado nuestro llamado *Homo habilis*, con un cerebro algo más grande y los primeros signos de frente. Quinientos mil años después, al *Homo habilis* le siguió el *Homo erectus*, que tenía más desarrollados el cerebro y el cráneo, con una frente más pronunciada. Finalmente, hace quinientos mil años aparecimos en escena nosotros, el *Homo sapiens*. Evidentemente, nosotros tenemos el cerebro considerablemente desarrollado (a pesar de las pruebas que apuntan en contra) y una frente muy recta. En comparación con la de nuestros primeros antepasados, la región media de nuestra cara es más refinada y más pronunciada. Nuestras mandíbulas se han ido reduciendo; ya no somos todo ojos y mandíbulas, como lo eran nuestros antepasados prehistóricos.

Los precursores de los seres humanos eran cazadores-recolectores cuya primera misión en la vida era la supervivencia. No eran la astrofísica, la literatura ni la medicina lo que dominaba la vida de nuestros antepasados: era comer y luchar contra el entorno hostil. Dado que comer acaparaba tanta energía y atención, no es sorprendente que sus caras estuvieran dominadas por la boca y las mandíbulas.

La supervivencia sigue siendo una misión importante en el mundo moderno, pero también tenemos otras necesidades, más complejas: necesidades emocionales, psicológicas y espirituales; insospechadas para nuestros primeros antepasados.

Lo que pretendo demostrar aquí es que siempre ha habido una clara relación entre la fisonomía humana, o rasgos faciales, y las características humanas. Cuando se desarrolló el cerebro, y con el intelecto, también se desarrolló el tamaño de la cabeza y la frente. También cambiaron otros rasgos cuando los seres humanos se hicieron más complejos emocional y psicológicamente. Como veremos a continuación, esto también se refleja en la cara.

Recordemos que una de las leyes cardinales de la diagnosis oriental es que lo macro se puede ver en lo micro. Si aplicamos esta ley a la cara, vemos que allí se revela el estado de todo el cuerpo.

En mis clases suelo dibujar una cara en el pizarrón y después superponer la figura pequeña de un hombre o una mujer en el interior del círculo de la cara. La cabeza de la figura queda dibujada en la frente, la columna en el puente de la nariz, la cintura por encima de la boca, y las piernas hacia la barbilla.

Este dibujo ilustra la forma en que los órganos del cuerpo se revelan en la cara. La cabeza de la figura, dibujada sobre la frente, muestra que nuestra manera de pensar y nuestro desarrollo intelectual se pueden ver en la frente. La curvatura de la columna se puede leer a lo largo del puente de la nariz, los intestinos en la boca, y la región genital en la zona de encima y debajo de la boca.

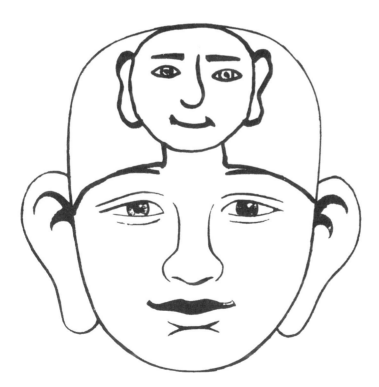

Lo micro representa lo macro. Si proyectamos todo el cuerpo sobre la cara, la nariz representa la columna.

A su debido tiempo vamos a analizar cada rasgo de la cara y sus correspondientes órganos y sistemas, pero por ahora veamos sus tres zonas, frente, región media y mandíbula, y la información que nos da cada una de ellas.

1. La frente muestra la naturaleza intelectual.
2. La región media, entre los ojos y la boca, muestra la naturaleza emocional.
3. La barbilla y la mandíbula, que incluye la zona bajo la nariz y alrededor de la boca, muestra la fuerza de voluntad.

Una de las primeras cosas que buscamos cuando examinamos la cara de una persona es el tamaño relativo de estas tres zonas. ¿Domina una a las otras, la frente, por ejemplo, o son las tres relativamente iguales de tamaño?

La cara equilibrada

Si las tres zonas de la cara son equitativamente grandes o pequeñas, la persona posee una naturaleza equilibrada. No está dominada ni por la mente, ni por el corazón ni por la voluntad, sino que intenta tomar decisiones racionales basadas en una armonía entre estos tres aspectos del ser.

Los rasgos equilibrados no son tan comunes como uno podría pensar; generalmente domina una zona de la cara. De vez en cuando se ve a alguien con una cara equilibrada y una cabeza grande y redonda. Estas personas tienden a ser visionarias de enorme poder. Poseen una excepcional combinación de desarrollo intelectual, comprensión de las necesidades emocionales de la gente y fuerte voluntad. Tienden a tener una disposición mental filosófica, aunque poseen la voluntad y osadía para hacer realidad sus planes. Son idealistas prácticos, orientados a grandes hazañas. Son previsores, tienen buen criterio social y resistencia.

Algunos ejemplos de caras equilibradas son las de Winston Churchill, Mijaíl Gorbachov, el gobernador de Nueva York Mario Cuomo, y el ex secretario de Estado Henry Kissinger.

Estas personas tienen un talón de Aquiles: la arrogancia. Cuando comienzan a comprender su potencial, es posible que se sientan superiores a los demás, lo cual anuncia su derrota. La persona de cabeza redonda y cara equilibrada ha de continuar formando parte de la raza humana para sacar fuerzas de ella y servir de guía a otros. Para conservar el apoyo popular, debe identificarse fuertemente con las necesidades de los demás.

La frente alta

A veces vemos a personas que tienen la frente muy alta, la región media más pequeña y la barbilla aun más pequeña. Esa es la típica cara yin. El

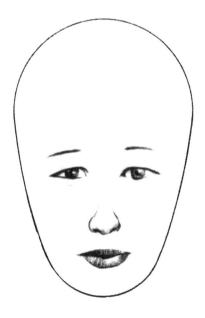

Frente alta: la zona superior domina la cara.

tipo yin está dominado por el intelecto; sus emociones son fuertes, pero no tan fuertes como su mente. La fuerza de voluntad es el aspecto más débil de su carácter. Este tipo de personas es muy intelectual, incluso brillante. Los tipos yin tienen mentes conceptuales; pueden ser fabulosos para hacer planes, pensadores abstractos, y pueden servir de consejeros a líderes poderosos. La persona de cara yin posee ideales visionarios y espirituales.

Estas personas deben cuidar de no convertirse en seres reservados y fríos, excesivamente intelectuales, críticos o cínicos, y deben evitar las intrigas y luchas por el poder. La persona de cara yin va a perder finalmente estas batallas, sobre todo si intenta suplantar a un líder fuerte. Generalmente es incapaz de resistir las exigencias del liderazgo; su voluntad es débil y las emociones la anulan. La persona yin no logra realizar las grandiosas visiones que su mente crea; para eso necesita la colaboración de personas más yang.

La región media bien desarrollada

Una persona cuya cara está dominada por la zona media es muy emotiva, solícita e incluso sentimental. Estas personas son maravillosas enfermeras, sanadoras o terapeutas. Se identifican con el dolor de los demás, comprenden los sufrimientos de la vida y desean sanarlos. Tienen una naturaleza maternal muy desarrollada.

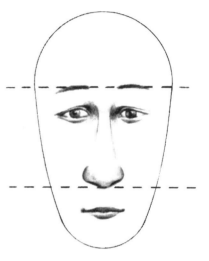

Centro grande: la zona media domina la cara.

Las personas con la zona media bien desarrollada también suelen ser artistas. Tienen un fino sentido de la belleza, sobre todo en las artes más físicas, como la escultura, la danza y la pintura.

Su principal debilidad es que pueden ser dominadas por sus sentimientos. Pueden ser mercuriales, es decir, un momento están fuera de sus casillas, y al momento siguiente las vemos serenas y plácidas, rebosantes de alegría y dicha o sumidas en la depresión. Estas personas emocionales necesitan desarrollar el sentido de la razón, una actitud metódica ante el trabajo y una disposición a resistir, sobre todo cuando se encuentran en situaciones conflictivas en sus relaciones.

La mandíbula grande

Una persona de mandíbula pronunciada tiene una voluntad poderosa y un fuerte sentido de finalidad. Esta es una cara yang típica. Es capaz de aguantar los conflictos y permanecer centrada en sus objetivos. Estas personas son prácticas, orientadas hacia el objetivo, con frecuencia adictas al trabajo; desean dominar de alguna manera su pequeño rincón de la Tierra. Las personas de mandíbula dominante tienen enorme valentía y tenacidad; lucharán hasta ganar la batalla.

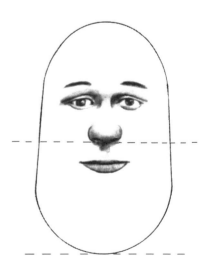

Mandíbula grande: la zona inferior domina la cara.

Las personas de mandíbula fuerte pueden ser materialistas y conscientes de las categorías o posición. Desean que se sepa que ellas poseen lo mejor de todo. Estas personas pueden ser muy voluntariosas y testarudas. Suelen no hacer caso de las ideas o sentimientos de los demás para seguir los propios. En un conflicto, van a salirse con la suya a rompe y raja, o van a hacer caso omiso de sus enemigos haciendo como si simplemente no existieran.

La persona cuya mandíbula domina su cara tiende a ver las cosas en blanco y negro, y a considerar a los demás o a favor o en contra. Para estas personas no hay camino intermedio. Suelen estar muy aferradas a sus objetivos personales, muchas veces hasta el extremo de dejar de lado otras necesidades. La persona de mandíbula dominante debe desarrollar la compasión y la comprensión humanas, de donde derivará una mayor valoración de los significados más profundos de la vida.

RASGOS INDIVIDUALES DE LA CARA

La mayoría de nosotros no somos exclusivamente yin o yang como las personas de los tipos faciales que hemos visto. Poseemos grados de yin y grados de yang, que se manifiestan en diversos rasgos de la cara y cuerpo. En esta sección voy a describir las características concretas yin y yang que sugieren esos rasgos. Comencemos por mirar los detalles de la frente.

La frente y sus arrugas

Todos tenemos arrugas en la frente. La mayoría consideramos esas arrugas como algo natural y no les atribuimos ningún significado. Pero para la diagnosis oriental tienen una enorme importancia.

Las arrugas de la frente están producidas por el sistema nervioso. Están relacionadas con las actividades del cerebro anterior (prosencéfalo) que está situado directamente detrás de la frente. El desarrollo y la actividad ordenados del cerebro influyen en la forma de toda la cabeza, sobre todo de la frente y las arrugas que allí aparecen, así como lo hacen el desarrollo y actividad desordenados, en forma de ondas cerebrales eléctricas, que se manifiestan en arrugas desordenadas y caóticas.

Como ocurre con otras características del cuerpo, el yin y el yang se pueden emplear para revelar muchas cosas acerca de determinadas arrugas. Por ejemplo, la arruga superior de la frente se relaciona con los aspectos más yin de la personalidad, mientras que la inferior se relaciona con los aspectos más yang. La arruga superior, por lo tanto, representa nuestra naturaleza espiritual, mientras que la inferior representa nuestra relación con la Tierra. Pero observemos arrugas concretas en la frente y examinemos sus significados particulares en la diagnosis oriental.

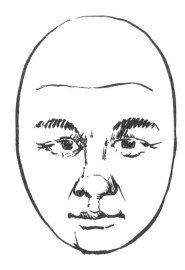

Una arruga continua: salud estable,
energía vital constante.

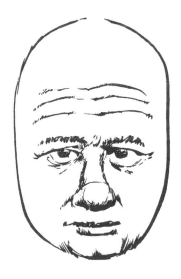

Muchas arrugas continuas: salud
inestable, muchos intereses.

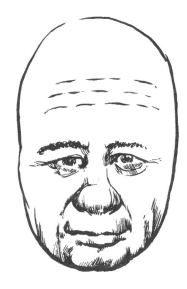

Arrugas discontinuas: personalidad
informal, estado de salud cambiante.

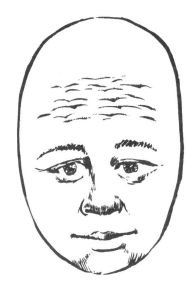

Arrugas discontinuas «pájaros en vuelo»:
personalidad extrema, salud
continuamente cambiante o inestable.

Tres arrugas arquetípicas atraviesan horizontalmente la frente. Lo ideal es que sean largas, rectas y continuas. Algunas personas sólo tienen una o dos arrugas en la frente, mientras que otras tienen más de tres. Estas variaciones también son reveladoras, pero comencemos con las básicas.

Las tres arrugas arquetípicas representan los tres planos de la existencia humana. La arruga superior representa el cielo, o la naturaleza espiritual de la persona; las características de esa arruga revelan su actitud hacia el ideal superior de la vida humana. La arruga del medio representa la personalidad humana, la fuerza o debilidad del ego. La arruga inferior representa la Tierra y la relación de la persona con los asuntos prácticos y terrenales, entre ellos el trabajo y las finanzas. Esta arruga suele mostrar la capacidad de la persona para realizar sus ideas.

Si las tres arrugas son nítidas, continuas y fuertes, la persona posee una opinión equilibrada de sí misma en relación a sus papeles espiritual, personal y terrenal. Esta persona experimenta pocos conflictos entre sus necesidades espirituales y terrenales. Tiene también un fuerte sentido de identidad y la capacidad para alcanzar una personalidad integrada. La presencia de tres arrugas profundas y nítidas indica buena salud y criterio fundamentalmente bueno. Mientras la persona cuide de su salud y ejercite el buen criterio, probablemente le irá bien en la vida.

Los espacios de discontinuidad en cualquiera de las tres arrugas indican algún problema o conflicto en el aspecto de la vida que representa esa arruga. Las arrugas discontinuas sugieren que la persona tendrá que trabajar más, a veces mucho más, para lograr el dominio de ese aspecto de la vida. Una arruga discontinua suele mostrar dónde se centra la vida de esa persona. Se siente atraída, obligada a realizar algo en ese aspecto, que le exige un mayor esfuerzo y atención que los otros aspectos.

Una línea de la Tierra discontinua significa que la persona debe preocuparse mucho más de los asuntos terrenos y materiales, trabajando para mantener unos ingresos estables, equilibrando el presupuesto y manteniendo un programa de trabajo disciplinado. Esta persona tendrá que desarrollar conscientemente el hábito de sostener cualquier clase de seguridad en un mundo de otro modo imprevisible. Las personas que tienen la arruga de la Tierra discontinua junto con arrugas del cielo y de la personalidad muy marcadas, suelen trabajar por hacer realidad algún objetivo o sueño idealistas.

Las arrugas discontinuas indican problemas intermitentes de salud. A veces la persona va a disfrutar de buena salud y vitalidad, y otras veces se verá aquejada por alguna enfermedad. Finalmente se recuperará y volverá a experimentar buena salud. En otras palabras, para las personas con arrugas discontinuas en la frente la salud será como viajar en una montaña rusa.

De vez en cuando nos encontramos con personas cuya frente tiene arrugas onduladas, que indican cambios regulares de salud y forma de pensar desequilibrada. A estas personas les ha costado mucho decidirse por una determinada dirección en su vida, y continuar en ella. Con frecuencia cambian de trabajo, de pareja y de socios. Nunca parecen seguras; siempre se están preguntando si no será más verde la hierba en la siguiente colina.

La falta de una arruga revela falta de interés, e incluso ceguera, respecto al aspecto de la vida que representa la arruga ausente. Esta ceguera puede llevar a la persona a la errónea creencia de que ciertas cosas de la vida no tienen importancia o no tienen nada que ver con su existencia. También puede significar lo contrario, es decir, una preocupación mucho más profunda por el aspecto de la vida representado por esa arruga. Como si tuviera conciencia de esa ceguera, es posible que la persona encuentre misterioso e interesante ese aspecto y por lo tanto se esfuerce más en explorarlo. En ese caso, puede sentir una enorme curiosidad e incluso obsesión por esos asuntos.

Supongamos que las arrugas superior y media, que representan la espiritualidad y la personalidad, son gruesas y continuas, pero a esa persona le falta la arruga de abajo, que tiene que ver con los asuntos terrenos. Esta persona tiene un sólido sentido de identidad; es probable que sea emocionalmente equilibrada y muy idealista; puede llegar incluso a una posición de líder en alguna causa idealista. Sin embargo, es posible que tenga una actitud desequilibrada respecto a los intereses terrenales, sobre todo en los negocios y el dinero; tal vez considera el mundo como algo sucio, los negocios y asuntos de dinero le parecen en última instancia poco espirituales y no idealistas. Esa persona tendrá problemas, por lo tanto, para manifestar sus ideales superiores en el mundo material, y posiblemente experimentará una frustración, especialmente cuando sea mayor. Por lo tanto, debe aprender que las lecciones prácticas y económicas de la vida son también lecciones espirituales, y que para mejorar el mundo hemos de unir lo superior y lo inferior, casar los ideales humanos superiores con la base.

Si a una persona le falta la arruga espiritual, pero tiene fuertes arrugas de personalidad y terrenal, posee un fuerte sentido de identidad, capacidad de liderazgo y objetivos materialistas que no están necesariamente equilibrados por ideales espirituales. Es posible que esa persona considere poco prácticas o incluso chifladas a las personas de orientación espiritual. Este tipo de personas con fuertes arrugas de personalidad y de tierra, tienden a ser empresarios o gente de empresa. Eluden los asuntos del espíritu y se centran más bien en intereses profesionales, en la ambición personal y en hacer posibles los objetivos de sus jefes.

A veces se ve a una persona con una sola y nítida arruga. Si es la arruga de la personalidad, esta persona tiene un fuerte sentido de identidad; tal vez tiene una poderosa presencia y es muy admirada. Puede estar orientada hacia asuntos espirituales o terrenales.

El egotismo es un gran peligro para estas personas, ya que las induce a creer que están por encima de las cosas espirituales y terrenales. Dado que no tienen ideales que las equilibren, pueden llenar sus vidas con intrigas. Pueden estar también poseídas por la ambición, pero no necesariamente porque amen las cosas materiales o busquen el progreso en su profesión. Por el contrario, tal vez sean indiferentes a las posesiones, excepto en cuanto símbolos de categoría social, considerando las posesiones y los éxitos una prueba de su superioridad.

Las personas que tienen una marcada arruga de personalidad, sin embargo, tienden a ser líderes carismáticos, lo cual, adecuadamente empleado, puede motivar a otras personas hacia un ideal bien determinado.

Las personas que solamente tienen la arruga del cielo son muy idealistas, pero poco prácticas. Habrán de trabajar para desarrollar su personalidad, su sentido de identidad y su comprensión de la Tierra.

Las personas que únicamente tienen la arruga de la Tierra, en gran parte consideran la vida desde el punto de vista de la seguridad. Para ellas los asuntos del espíritu son muy abstractos y no se pueden aplicar a la vida diaria.

A veces se ve a una persona con dos arrugas horizontales separadas, una sobre cada ceja. Estas arrugas se llaman arrugas de la intuición. La persona que tiene esas arrugas tiene un grado de intuición muy marcado, buen criterio cuando se trata de evaluar el carácter de otras personas e ideales muy espirituales. Estas arrugas son la señal de una persona que ha trabajado mucho en sí misma y ha hecho importantes progresos.

Entre las cejas, justo por encima de la nariz, pueden verse diversas arrugas verticales. Esas arrugas revelan el estado del hígado.

Antes de hablar de estas arrugas debo explicar otro punto importante de la curación oriental para que usted pueda entender el hígado y otros órganos. Los sanadores orientales desarrollaron hace muchos siglos una comprensión del cuerpo como un todo integrado. La estabilidad psicológica, sobre todo la emocional, dependía del sano funcionamiento de todo el cuerpo, de todos y cada uno de sus órganos. Cada órgano tenía un papel concreto en la salud general y en la estabilidad de una emoción concreta. El hígado, por ejemplo, controlaba la rabia. Si una persona se dañaba el hígado con comidas y bebidas poco sanas, podía sufrir agudos accesos de rabia y agresividad. Estas personas solían tener estallidos de ira inexplicables, lo que revelaba la presencia de un hígado no sano. En lugar de hablar interminablemente sobre el estado psicológico de la persona, el sanador trataba el hígado y la rabia disminuía.

Una de las maneras como el sanador diagnosticaba un problema hepático era mirar la zona que queda justo encima de la nariz, entre las cejas.

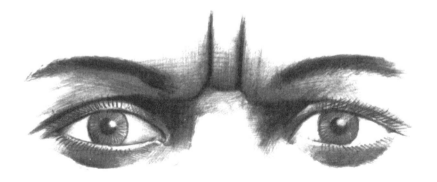

Arrugas verticales profundas entre los ojos: tensión, rabia, nerviosismo, problemas hepáticos.

Muchas personas tienen allí dos arrugas verticales paralelas. Estas arrugas deberían ser leves y superficiales, lo que indica que el hígado está funcionando bien. Si las arrugas son profundas, el hígado tiene algún problema y está congestionado. La persona va a tener algún estallido de rabia ocasional. Va a sufrir de ataques de irritabilidad; se trata de una persona pronta de genio.

A veces se ve a una persona con tres arrugas entre las cejas, lo que indica un problema hepático, generalmente debido a demasiada frustración, rabia, dieta incorrecta y consumo de alcohol. Si las tres arrugas son pronunciadas, la persona corre peligro de tener accidentes. Es demasiado yang, es decir, demasiado agresiva, tenazmente concentrada y tozuda. Normalmente la persona está tan concentrada en lo que está haciendo que es incapaz de escuchar las advertencias del Universo cuando le llegan a través de otras personas que le aconsejan que descanse un poco o analice su situación. Generalmente los consejos suelen caer en el vacío.

Las personas que tienen estas tres arrugas han de tener cuidado. Han llegado a ser demasiado yang, demasiado centradas en conseguir sus objetivos. Necesitan buen yin: paseos por el parque o la naturaleza; música tranquila y sedante; ejercicios aeróbicos que estiren los músculos y aumenten la inspiración de aire, y la compañía de seres queridos. Este yin le ayudará a la persona a relajarse, a disfrutar más de la vida y a abrirse a nuevas ideas.

La persona que tiene una sola arruga entre las cejas presenta un interesante conjunto de problemas. La arruga sola suele aparecer en una persona que posee una fuerte constitución y una fuerte voluntad. Puede indicar problemas hepáticos más graves. En Japón, a la arruga del hígado sola se la llama «aguja suspendida», por el peligro que indica. Muchas personas tienen esta arruga sola; suele aparecer después de algún tipo de crisis personal, especialmente una crisis de la edad madura.

Las personas que tienen problemas hepáticos, indicados por esta arruga solitaria entre las cejas, deberán reducir su consumo de alcohol, evitar los alimentos grasos, los alimentos ricos en azúcar, los aditivos químicos y los cereales refinados, como el arroz. El hígado se encarga de limpiar la sangre; cuanto más contaminada esté, más trabajo tendrá el hígado para eliminar las toxinas. Si estos venenos se quedan en el hígado, acabarán afectando al estado y correcto funcionamiento de este órgano. Los minúsculos vasos sanguíneos del hígado se endurecen, impidiendo la circulación de la sangre y el oxígeno. La medicina oriental indica que las verduras de hoja verde, el trigo integral y el bulgur, y pequeñas cantidades de alimentos ácidos, como el chucrut y los encurtidos, estimulan el hígado, aumentan la irrigación sanguínea en su interior y contribuyen a la recuperación de la salud.

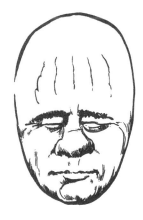

Muchas arrugas verticales en la frente: persona inteligente, crítica, muy prudente, piensa mucho.

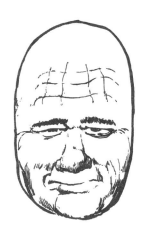

Arrugas verticales y horizontales: persona extraordinariamente inteligente, o extraordinariamente sensible y nerviosa, o ambas cosas.

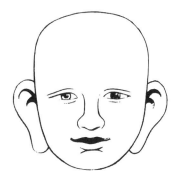

Dibuje usted las cejas y compruebe cómo diferentes cejas pueden cambiar una cara.

Las cejas

El teatro popular se llama kabuki en Japón. Los actores de kabuki salen al escenario vestidos con trajes llamativos, y con las caras muy pintadas para exagerar sus características. Los chicos buenos parecen muy buenos; los chicos malos tienen caras terribles de malas; las mujeres son siempre hermosas. El público sabe inmediatamente si el personaje es bueno o malo por el maquillaje que lleva, y sobre todo por la disposición de las cejas, que son las que dicen si la persona es buena, mala o tonta.

El tonto, que constantemente está metido en problemas y sufre muchos accidentes del destino, tiene un aspecto muy divertido. Tiene las cejas muy arriba y muy separadas, lo que le da el aspecto de una persona muy distraída o «despistada». Sus cejas revelan si es poco inteligente, tonto y propenso a los accidentes. Los ojos del tonto suelen ser redondos y *sanpaku yin*, lo que quiere decir que la parte blanca se ve por tres lados, también bajo el iris (más adelante en este mismo capítulo explicaré algo más sobre *sanpaku*).

El villano tiene las cejas muy distintas. Le caen desde los lados de la frente hasta la parte superior de la nariz, formando un ángulo de 45°, como dos aviones a chorro que caen sobre el mismo objetivo. Queda muy poco espacio entre los extremos de las cejas que quedan sobre la nariz. A veces se unen para que quede una sola y temible ceja. Los ojos del villano suelen ser *sanpaku yin*, con una línea de maquillaje gruesa y oscura para perfilar su contorno.

El héroe tiene cejas más equilibradas, que suben y bajan en un arco más suave sobre sus ojos; son bastante largas. Sus ojos son también más equilibrados, sin *sanpaku yin* ni *yang*.

El teatro kabuki aprovecha la sabiduría tradicional de la diagnosis oriental para comunicarse con el público de maneras no verbales pero poderosamente efectivas. El maquillaje kabuki es tan eficaz porque en cierto sentido la gente sabe que en la cara se pueden detectar características que revelan la naturaleza interior, y que en especial las cejas revelan esa naturaleza.

Hay muchos tipos de cejas. Comencemos con las básicas.

Por lo general, el espacio entre las cejas, sobre la nariz, es de aproximadamente dos dedos de ancho; si se colocan las puntas de los dedos índice y medio juntos en el espacio que queda entre las cejas, los bordes de los dedos deberían tocar las cejas. Eso indica una constitución equilibrada.

Cuando las cejas se juntan mucho sobre la nariz o están unidas, como si fueran una sola ceja, revelan una constitución y disposición más yang. La persona que tiene ese tipo de cejas es más decidida, más agresiva, más concentrada en una sola cosa. Esas cejas aparecen en personas cuyas madres, cuando estaban embarazadas, consumían más alimentos de origen animal, especialmente proteínas. Estas personas suelen tener un enfoque estrecho sobre sus prioridades, pero también pueden entregarse mucho a

Una sola ceja recta y nítida: una fuerte constitución yang, a veces tozuda.

un determinado objetivo y trabajar incansables por su consecución. Las personas que tienen las cejas muy juntas o unidas son emprendedoras. Suelen ser ambiciosas y con empuje.

Las cejas que están muy separadas, es decir, a una distancia superior a dos dedos, indican una actitud más yin. Las personas de cejas separadas tienen una visión amplia de la vida, son curiosas, muchas veces sensuales, y desean experimentar muchas cosas. Las personas cuyas cejas están separadas tres dedos o más, rasgo común, sobre todo en celebridades y modelos, tienen gran dificultad para permanecer casadas con la misma persona. Viven enamorándose de algún misterioso desconocido.

Las personas que tienen las cejas muy separadas se sienten atraídas por las artes, la escritura y el periodismo. Necesitan una profesión que les procure mucho cambio y variedad. Hacen mejor los trabajos de duración limitada, en lugar del laborioso día a día que suelen exigir los negocios.

Las cejas no sólo nos dicen características personales sino que también nos ofrecen una pista sobre el estado de la salud durante el curso de la vida de una persona. Tradicionalmente, en Japón, las cejas se consideraban más o menos igual que la línea de la vida de la palma de la mano: se creía que revelaban la duración y la calidad de la vida de la persona.

Es importante observar que las cejas son solamente un signo en la diagnosis oriental, una sola pista que ha de añadirse a muchas otras para poder hacer un juicio acertado. Es decir, no haga toda su evaluación basándose únicamente en las cejas.

A veces se ven cejas de forma triangular, que semejan banderines, la parte ancha en los extremos exteriores, y la parte que termina en punta sobre la nariz; es decir, son más anchas o más tupidas cuanto más se acercan a la periferia de la cara. Estas cejas indican que la salud de la persona era débil cuando nació, pero poco a poco se ha ido robusteciendo a medida que se va haciendo mayor.

Cejas gruesas hacia el centro de la cara, más delgadas hacia los extremos: persona nacida con una constitución fuerte y sana pero con la tendencia a un debilitamiento de la salud si lleva un mal estido de vida.

Cejas fuertes y tupidas en los extremos exteriores, delgadas en el centro: la salud que mejora; la persona tiene cada vez más energía vital.

Cejas «pájaro en vuelo»: la salud puede cambiar.

Cejas gruesas y tupidas, de grosor parejo: salud estable con pocas probabilidades de cambios radicales.

Cejas oblicuas con la inclinación hacia los extremos exteriores, con amplio espacio en medio: constitución yin, carácter débil.

Cejas oblicuas con la inclinación hacia el centro: constitución yang.

También se ve lo contrario, cejas gruesas en la parte más cercana a la nariz y delgadas en la periferia. La persona que tiene este tipo de cejas era más fuerte cuando nació que después. Sabiendo esto, estas personas han de cuidar más su salud a medida que se hacen mayores.

Luego están las personas que tienen cejas estilo «cepillo», gruesas a ambos lados, como las que solía pintarse Groucho Marx. La vida de estas personas es tan estable, con tan pocos altibajos y cambios, que podría decirse que nacieron así y van a morir así. Son la personificación de la estabilidad.

Las cejas que suben desde los extremos hasta una cima que se encuentra sobre la nariz, como si fueran los dos lados de una montaña con la cima en el centro, sugieren una constitución y una disposición más yin. La persona que tiene este tipo de cejas posee un temperamento dulce y no es ambiciosa. Su actitud es de «vive y deja vivir». Es una persona pacificadora, capaz de llegar a extremos para mantener la armonía y evitar una pelea.

Las cejas que bajan desde los lados de la cara hacia el puente de la nariz sugieren una personalidad mucho más agresiva. La persona que tiene este tipo de cejas es ambiciosa, luchadora y tenaz. Si se la ataca se defiende, y con actitud vengativa. Esta persona es desafiante, considera la vida una lucha en la que suele necesitar luchar para conseguir sus objetivos.

Las cejas que dibujan una línea recta sugieren equilibrio, una persona estable y que experimenta pocos altibajos.

Las cejas que suben desde los lados y bajan hacia la nariz, formando una cima sobre cada ojo, sugieren una personalidad con dos extremos en su interior. Una persona con este tipo de cejas puede ser luchadora y ambiciosa, pero también posee un lado más dulce y una naturaleza más poética. Es el tipo de persona que debe luchar durante la primera parte de su vida para conseguir sus objetivos. Pero finalmente llega a un punto de equilibrio, e incluso de paz, en el cual lleva una existencia más tranquila, como lo revela el rasgo hacia abajo de la segunda mitad de la ceja. Deberá cuidar su salud durante la segunda parte de su vida, sobre todo pasados los cincuenta.

En Oriente, durante mucho tiempo las cejas se han relacionado con los intestinos. En la diagnosis oriental, la línea de la vida de la palma de la mano, la línea larga vertical que forma una curva desde la base del dedo índice hasta la base de la palma, revela la fortaleza heredada de los intestinos. Los sanadores orientales aseguraban que si los intestinos son naturalmente fuertes, esa línea de la vida es fuerte, y la persona tendrá una larga vida. Dado que las cejas también se han relacionado con la fuerza relativa de los intestinos, también se ha creído que indican la duración de la vida.

Sea cual sea su forma, las cejas gruesas son una señal de buena salud. Muchas personas se las depilan porque tienen la idea de que eso les va a favorecer el aspecto. Siempre me ha parecido curioso y revelador lo que la gente considera hermoso. En todo caso, es mejor no depilarse las cejas. La depilación de las cejas es una manifestación externa de un deseo inconsciente de eliminar alguna acumulación dañina de desechos en el tracto intestinal. Cambiar a una dieta compuesta por más cereales y verduras frescas, que aumentará la cantidad de fibra, servirá para eliminar los desechos acumulados en el aparato digestivo.

Las cejas poco pobladas o delgadas sugieren que la persona deberá cuidar su salud, evitando los extremos en su dieta y comportamiento, manteniendo un horario regular y haciendo ejercicios adecuados y descansando. Muchas veces se ven cejas delgadas en los extremos; eso significa que la persona deberá cuidar su salud a medida que se haga mayor.

Los pelos de las cejas deben ir todos en la misma dirección. Cuando van en muchas direcciones indican que la vida de la persona va en muchas direcciones. La persona con este tipo de cejas va a hacer muchos cambios y a crecer considerablemente, pero va a ser incapaz de ser constante en un camino determinado, estas personas son cambiantes y poco formales. Sencillamente no pueden decidirse, e incluso cuando se deciden lo hacen con dudas sobre si han tomado la decisión correcta, lo cual les hace imposible comprometerse.

Cejas delgadas: constitución débil.

De vez en cuando se ven cejas cuyos pelos crecen en segmentos, es decir, una parte del pelo crece en una dirección y otra parte en otra. A veces se ven varias de estas partes, cada una con pelos en diferente dirección. Esto indica que la persona va a experimentar cambios importantes en su vida; va a cambiar de profesión, de relaciones, de vivienda, e incluso tal vez se va a trasladar a otro país durante un tiempo.

Las cejas que crecen rectas hacia fuera, como setos ingobernables, indican a una persona que es inteligente, nerviosa y un poco neurótica. Este tipo de personas llega a una posición de poder en la sociedad, sobre todo en el ámbito cultural o académico. Pero pueden ser irritables e impacientes, sobre todo con lo que consideran inteligencia limitada o debilidad en los demás.

Tradicionalmente, las cejas que son largas y caen en la misma dirección se consideran signo de una vida larga y feliz. Estas cejas, idealmente, forman un arco suave, subiendo levemente desde la nariz y cayendo hacia los lados. Tienen un grosor constante desde el comienzo hasta el final, con pelos largos en los extremos. Este tipo de persona está habitualmente relajada, es equilibrada y más considerada.

Los ojos

Hace diez años la comida japonesa era una perfecta desconocida en Nueva York, y sobre todo el sushi. Muchas personas pensaban que debía ser horrible comer pescado crudo con arroz. Actualmente el sushi está de moda, y a la persona que no le gusta la comida japonesa se la considera desfasada.

Muchas personas llegan incluso a preparar *sushi* y *sashimi* en casa, y en las cocinas de las costas oriental y occidental abundan los libros de cocina japonesa. Consiguientemente, muchas personas me preguntan: «Ohashi, cuando quiero comprar pescado, ¿cómo puedo saber si está fresco?» Yo les digo: «Todo está en los ojos».

Pescado: todo está en los ojos.

Me encanta comprar pescado. He aprendido a distinguir el pescado fresco y sano del pescado no fresco, incluso cuando el pescadero ha tratado de hacer pasar por fresco un pescado que no lo es. Ahora, cuando me ve llegar a la pescadería dice: «Ay Dios, ahí viene el pesado de Ohashi». El pescadero sabe que yo sé elegir el pescado. Siendo japonés, lógicamente me enorgullezco de eso, porque los japoneses somos pescadores y nos gusta el pescado. Mi esposa es de Idaho. Jamás la dejo comprar el pescado. Pero ella es muy buena a la hora de comprar patatas, de las cuales yo no sé nada. Ambos nos respetamos nuestras propias especialidades y somos muy felices, sobre todo cuando comemos buen pescado acompañado con buenas patatas.

Para comprar pescado lo primero que hay que examinar son los ojos. Un pescado fresco tiene los ojos limpios y salientes. Los ojos son convexos y con color, normalmente azul; deben tener una apariencia fuerte y sana. Si los ojos están empañados, hundidos, apagados o cóncavos, no compre ese pescado; no es fresco.

A veces los pescaderos astutos le cortan la cabeza al pescado para engañar al cliente. En ese caso, compruebe que las agallas tengan un color rosa o rojo vivo. Eso significa que el pescado es fresco. Un pescado fresco, lógicamente, no hace ese olor fuerte a pescado. Tiene también las escamas firmes y enganchadas; si saltan con facilidad significa que el pescado no está bueno. Apriete la carne con el dedo; si el dedo se hunde y deja marca, no compre el pescado. Si el músculo es resistente y recupera su forma con rapidez, el pescado es fresco. Pero son los ojos del pescado los que nos dirán con más precisión su frescura.

Lo mismo ocurre en la diagnosis oriental. Creo que los ojos nos dan el sesenta por ciento de la información sobre el estado actual de salud de la persona.

¿Por qué revelan tanto los ojos? En primer lugar, el ojo está directamente conectado con el cerebro a través del nervio óptico, por lo que de entrada nos informará sobre el estado del sistema nervioso y del cerebro. Cuando ha habido alguna lesión en el sistema nervioso o en el cerebro, el ojo cambia; en el mejor de los casos, pierde claridad y vivacidad; en el peor, puede llegar a perder la visión.

En segundo lugar, el cerebro necesita treinta veces más oxígeno que otras células del cuerpo. El ojo necesita ocho veces más oxígeno que otras células. Por lo tanto, cuando el cerebro está recibiendo menos oxígeno del que necesita, el primer lugar donde se nota es en los ojos, ya que los ojos son más sensibles a la merma de oxígeno que el resto del cuerpo.

Esto usted lo sabe por experiencia. Recuerde alguna vez cuando estaba sentado en una clase o sala de conferencias atiborrada de gente escuchando a alguien terriblemente pesado. ¿Qué ha sentido? Seguro que la respiración se le hacía lenta y superficial; el nivel de oxígeno del cerebro disminuía y entonces los párpados se le hacían insoportablemente pesados. Era incapaz de concentrarse, y los ojos eran la primera parte del cuerpo en reaccionar al sueño, después del cerebro.

Cuando se trata de diagnosticar la salud o alerta mental de otra persona, los ojos son el instrumento más importante del cuerpo. Ningún otro órgano puede decirnos tanto acerca del estado interior de la persona. Veámoslo con más detalle.

Lo primero que ha de comprobar en los ojos es su tamaño, forma y ángulo. ¿Son redondos o alargados, grandes o pequeños? ¿Tienen una inclinación hacia arriba o hacia abajo, o son horizontales?

Los ojos grandes y redondos indican una constitución más yin. La persona de ojos grandes y redondos es sensible, emotiva e intuitiva. Esta persona reacciona mal al estrés. Los ojos grandes indican talento artístico; los pintores, escritores y otros artistas suelen tener ojos grandes.

Con frecuencia los ojos grandes y redondos señalan que la persona es visionaria, que ve el diseño grandioso de las cosas, que percibe los movimientos históricos, las tendencias políticas o las formas cambiantes de opinión. A la inversa, estas personas tienden a descuidar los detalles de los trabajos. Ven la dirección en la cual debería ir una empresa u organización; ven también cómo se puede lograr eso en principio, pero suelen pasar por alto o descuidar los detalles en la realización de esos grandes proyectos.

Los ojos pequeños indican capacidad para ver y apreciar los detalles. A una persona de ojos pequeños le gustarán los números: contable o tenedor de libros. Tienen afinidad con lo básico y desean saber cómo se pueden llevar a la práctica los grandes diseños. Hacen las preguntas prácticas, prosaicas. Constituyen el complemento perfecto, esencial, para los visionarios. Lo que los visionarios ven, las personas prácticas lo llevan a cabo. Pero las personas de ojos pequeños generalmente no ven el total del diseño. Están tan inmersas en los detalles de un proyecto que tienen problemas para mirar y ver las formas en el cielo. Por lo tanto, rara vez tienen una visión de conjunto de un proyecto o de la dirección de una organización.

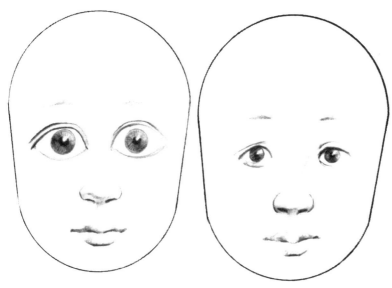

Ojos grandes y saltones.   *Ojos pequeños.*

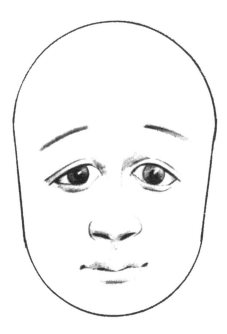

Ojos oblicuos.

En general, los ojos redondos indican talento artístico. Los ojos grandes indican sensibilidad y talento artístico. Los ojos pequeños revelan atención al detalle, enfoque y naturaleza práctica.

Los ojos pequeños y redondos indican un sistema nervioso yang fuerte y un talento artístico que lleva a la música. Revelan destreza manual y coordinación, y el tipo de mente que disfruta con las tareas absorbentes, como la del lenguaje de la música. Los músicos suelen tener un hermoso equilibrio yin-yang, en el sentido de que aprecian la armonía o totalidad de la música así como también sus matices. Han de traducir las amplias y etéreas vibraciones de la armonía a las duras realidades de las notas y sonido.

El pianista Vladimir Horowitz es un ejemplo perfecto de un artista con tales ojos. Sus ojos eran suaves, redondos, pequeños y sabios; irradiaban claridad y revelaban una mente viva y chispeante.

Después hay que mirar los ojos de la persona para observar si son horizontales o inclinados, hacia arriba o hacia abajo partiendo desde el puente de la nariz.

La mayoría de los ojos inclinados bajan desde los lados de la cara hacia el puente de la nariz. Esta inclinación revela una fuerte ambición. Cuanto mayor es el ángulo de la inclinación, más grande es la ambición. En las historietas se suele dibujar a los malos con unos ojos de este tipo con bastante inclinación; este ángulo extremo puede revelar avaricia y delirio de grandeza. Sin embargo, es necesario mirar muchos ojos para poder determinar qué es una fuerte inclinación. Muchas personas buenas y prósperas tienen los ojos con una inclinación que no es extrema y que no revela estas características negativas.

Los ojos que se inclinan hacia arriba desde los lados de la cara hacia la nariz, revelan un carácter apacible y no ambicioso. Una persona con estos ojos generalmente está satisfecha de la vida. Estas personas no presionan ni situaciones ni a personas, y prefieren el camino de la menor resistencia. Son sensibles, y a veces un poco tímidas. Prefieren ceder un poco más para evitar conflictos o lucha.

Los ojos horizontales o en línea recta revelan equilibrio entre la ambición y la sensibilidad. La persona con este tipo de ojos tiene habilidades diplomáticas. Estas personas pueden ser muy buenas para negociar porque pueden ofrecer un determinado punto de vista, comprender la necesidad de transigir y, sin embargo, evitar entregarlo todo.

Veamos ahora la posición del ojo dentro de la órbita. Cuando el bebé nace, el iris, o parte coloreada del ojo, está hermosamente equilibrado entre el párpado superior y el inferior. Toca los dos párpados de manera que no queda nada de blanco o esclerótica ni arriba ni abajo. La esclerótica sólo se ve a los lados del iris. Esto indica un sistema nervioso sano y equilibrado. El bebé es despabilado y su estado de salud general es bueno.

Cuando la persona muere, el iris sube y desaparece parcialmente bajo el párpado superior. La blanca esclerótica se ve por debajo. A esto en Oriente lo llamamos *sanpaku,* que significa que se ven «tres blancos». Tener estos tres blancos o *sanpaku* es corriente entre personas que están enfermas o agotadas. Es más pronunciado entre aquellas personas que están gravemente enfermas y se aproximan a la muerte.

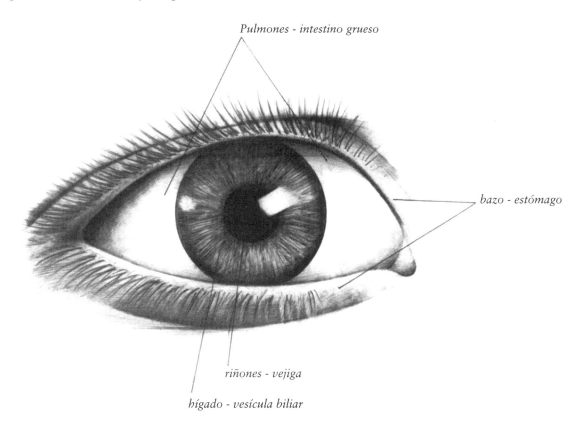

Pulmones - intestino grueso

bazo - estómago

riñones - vejiga

hígado - vesícula biliar

Ojos equilibrados y sanos.

Ojos sanpaku yin.

Ojos sanpaku yang.

Ojos saltones u «ojos de sorpresa».

A estos ojos en Japón los llamamos «ojos París y Londres», porque uno mira hacia Londres y el otro hacia París. También se llaman «ojos vagos».

Los tres blancos revelan que el sistema nervioso de la persona está gravemente desequilibrado. La mente, el cuerpo y el espíritu de esa persona no están en armonía con las fuerzas mayores del cosmos. Su intuición está desconectada, su capacidad para evaluar a las personas y situaciones es débil.

En general hay dos tipos de *sanpaku*. El primero es el *sanpaku yin*, en que el blanco se ve debajo del iris, lo cual es bastante común, sobre todo entre los drogadictos. En este caso el iris flota hacia arriba, dejando ver la esclerótica abajo. El segundo tipo es el *sanpaky yang*, en que el blanco se ve encima del iris; aquí el iris se hunde en el párpado inferior. Esto revela un carácter peligroso o violento. Charles Manson tiene unos hermosos ojos *sanpaku yang*.

Si el blanco se ve por debajo del iris, el trastorno es yin, e indica que el peligro viene de fuera. Una persona que tiene ojos *sanpaku yin* se va a colocar sin darse cuenta en situaciones peligrosas o de riesgo, y es posible que no sobreviva a ellas.

Ojos bizcos: ¡os dos ojos miran hacia el centro.

Un ojo está centrado y el otro mira hacia fuera (como en esta ilustración) o hacia dentro.

Si el blanco se ve por encima del iris, el trastorno es yang y el peligro viene de dentro. Una persona con ojos *sanpaku yang* es muy, muy violenta, iracunda, y es probable que sea un peligro tanto para sí misma como para otros. Es posible que se autodestruya, pero también podría arrastrar a otros consigo.

El filósofo macrobiótico George Ohsawa escribió un libro titulado *You Are All Sanpaku* [Todos sois *sanpaku*], dedicado, entre otros, a John Kennedy y Abraham Lincoln. Ohsawa decía que todas estas personas eran *sanpaku* graves, y por lo tanto tenían el juicio perjudicado, lo que indicaba mala salud y muerte prematura. Eran excesivamente *sanpaku yin*. Todas aceptaron el peligro, pero fueron incapaces de sobrevivir a él.

El *sanpaku yin*, es decir, cuando el blanco se ve bajo el iris, es consecuencia de un excesivo consumo de substancias yin, como son el azúcar, los cereales refinados, el alcohol y los fármacos.

El *sanpaku yang*, cuando el blanco se ve sobre el iris, se debe a un excesivo consumo de carne, sal y quesos secos, y a la complacencia en la violencia. El *sanpaku yang* revela un carácter centrado en sí mismo e inclinado a satisfacer sus propias ambiciones, a veces sin considerar el precio.

Los ojos equilibrados, en los cuales el iris toca los dos párpados, revela un estado equilibrado y buen juicio. Los ojos equilibrados se deben a una visión equilibrada de la vida y a hábitos alimenticios sensatos, sobre todo al consumo de cereales integrales y verduras frescas.

Cuando asesinaron a la ex primera ministra india Indira Gandhi, la revista *Time* publicó una serie de fotos de ella, incluso una tomada inmediatamente antes de que fuera asesinada. La fotografía muestra claramente sus ojos *sanpaku yin*, que reflejaban su condición y revelaban que estaba en peligro.

A veces los ojos de una persona parecen cruzarse o mirar en dos direcciones distintas. Cuando el ojo derecho mira hacia la derecha y el izquierdo hacia la izquierda, los japoneses los llamamos «ojos Londres y París»: uno mira hacia Londres y el otro hacia París. Estos ojos revelan un serio desequilibrio yin en el sistema nervioso: demasiados líquidos, azúcar, alcohol y fármacos. La persona que tiene estos ojos es propensa a contraer diabetes y trastornos del sistema nervioso. Estas personas son también propensas a los accidentes; son más bien víctimas de accidentes que causas de ellos. Los accidentes les suceden porque sus ojos están desequilibrados. Estas personas tienen también mucha dificultad para tomar decisiones. No ven claramente su dirección y están desgarradas entre dos caminos, igual como sus ojos miran en dos direcciones.

Los ojos que se cruzan, o bizquean, cuando están relajados, revelan problemas del sistema nervioso, hígado y corazón. La causa es el excesivo consumo de alimentos yang (carne, quesos secos y sal) y la existencia de profundos conflictos psicológicos. Las personas de ojos bizcos van a causar accidentes porque tienen una visión limitada. Sus ojos también revelan un conflicto interior: los dos lados de su cuerpo y mente están en guerra. Ese conflicto se manifiesta en los fenómenos de la vida diaria. A una persona con ojos así debería preguntársele si sus padres se llevaban bien, o si había algún desequilibrio muy extremo en la familia. ¿Estaba enfermo alguno de sus padres? ¿Eran éstos muy voluntariosos e inflexibles? Los ojos bizcos también revelan una gran frustración por no ser capaz de arreglar los conflictos satisfactoriamente.

¿Y cuando una persona nace con este trastorno? Es posible que los huesos cervicales hayan sufrido algún daño durante el parto y así hayan causado ese problema. O tal vez su madre comió muchos alimentos yang fuertes durante el embarazo.

A veces un ojo mira hacia delante mientras que el otro vaga hacia la periferia. Si es el ojo izquierdo el que vaga, el problema estriba en la ingestión excesiva de substancias dulces (azúcar, cereales refinados, alcohol y drogas). Si es el ojo derecho el que vaga, el problema se debe a demasiados alimentos de origen animal (carne, quesos secos, ave). He visto a muchos enfermos de cáncer con los ojos así. (Para sugerencias sobre la manera de armonizar y equilibrar la dieta diaria, véase «Orientaciones dietéticas generales» en el capítulo 9.)

Las bolsas bajo los ojos

Justo bajo el ojo hay una pequeña bolsa que suele estar hinchada u oscura. Cuando esto ocurre, se dice que esa persona necesita dormir más. Esta opinión, basada en la sabiduría popular, es correcta según la diagnosis oriental. Pero habría bastante más que decir al respecto.

De hecho, esta zona tiene mayor contenido de agua que ninguna otra parte de la cara. Al mismo tiempo, la piel que la cubre es la más delgada y carece de glándulas sebáceas, lo cual la hace muy sensible a los cambios de contenido de líquido en el cuerpo. Esto, combinado con la atenta observación de los sanadores a lo largo de los siglos, ha llevado a que los diagnosticadores orientales tradicionales la consideren muy importante a la hora de determinar el estado de los riñones.

Los riñones son unos órganos muy reverenciados en Oriente, tanto en sentido abstracto como en concreto. Los sanadores tradicionales los consideran el almacén del ki o fuerza vital. Los riñones distribuyen este ki al resto del cuerpo, manteniendo de este modo la vitalidad propia de la constitución de una persona.

Por esta razón se dice que los riñones son las bodegas donde se almacena la herencia de los antepasados. Eso significa que nuestros riñones revelan la salud de nuestro linaje genético. (Tendré mucho más que decir sobre los riñones cuando hablemos de las orejas, que revelan la constitución de los riñones. Ahora me voy a ceñir estrictamente al estado de los riñones revelado por las bolsas bajo los ojos.)

Los riñones purifican la sangre eliminando desechos. Estos órganos, por lo tanto, toman un significado abstracto: separan las cosas necesarias de las innecesarias en la vida. Los riñones tienen la importante función de ayudarnos a distinguir en nuestras experiencias lo que es valioso de lo que es innecesario y hay que desechar.

El estado de nuestros riñones tiene una enorme importancia en nuestra salud general. Si una persona se siente débil o permanentemente cansada, debe descansar y cuidarse los riñones.

Hay tres maneras como podemos dañar nuestros riñones. La primera es vivir contra los ritmos de la naturaleza. Esto lo hacen las personas que trabajan por la noche y duermen de día, por ejemplo las enfermeras, los obreros de fábricas con turnos de noche, los ladrones y las personas que viajan mucho, sobre todo a lugares de otra zona horaria. (Un poco más adelante explicaré esto con más detalles.)

Bolsas bajo los ojos: debilidad de los riñones. Este es un problema que se está haciendo muy común.

La segunda manera como podemos hacer daño a nuestros riñones es agotando nuestra energía. Esto lo hacen las personas que trabajan demasiado, sobre todo en trabajos que no les gustan. Otra manera de gastar demasiada energía es entregarse a excesiva actividad sexual.

La tercera manera como podemos dañar nuestros riñones es con una dieta no adecuada, sobre todo comiendo alimentos que no son de la estación, por ejemplo sandía en invierno, o comiendo alimentos muy refinados o con muchos aditivos químicos.

Vivir contra la naturaleza

Dado que los riñones son los responsables de la circulación del ki por todo el cuerpo, han de protegerse para asegurarnos una salud total. Las alteraciones graves de la rutina, como por ejemplo trabajar durante las horas en que el cuerpo está acostumbrado a descansar, y descansar durante las horas en que estamos acostumbrados a trabajar, desbaratan los ciclos corporales. Estos ciclos no han sido establecidos durante nuestra vida sino que forman parte de la evolución. Desde la aparición del ser humano en el planeta, nosotros y nuestros antepasados nos hemos levantado con el Sol y dormido con las estrellas. Desde que nacimos hemos sido condicionados a seguir esta misma costumbre. Los organismos vivos se han desarrollado de acuerdo a estos ciclos (así sucede, por ejemplo, con el metabolismo de la vitamina D y con muchas funciones hormonales). No podemos cambiarlos con la sencillez que podríamos imaginar. Cuando vivimos en oposición a los ciclos naturales, agotamos y finalmente dañamos nuestros riñones.

Cuando agotamos nuestras reservas de ki en los riñones, la zona situada bajo los ojos, o bolsas de los ojos, se oscurecen. Las personas que trabajan de noche y duermen de día son un ejemplo de aquellos que están agotando su fuerza natural, al igual que las que se acuestan a altas horas de la madrugada y duermen de día.

Las personas que trabajan en líneas aéreas o las que vuelan regularmente en viajes de negocio también violan los ciclos naturales y dañan sus riñones. Viajar a zonas horarias diferentes altera los ritmos naturales del cuerpo. El día y la noche se confunden; los ciclos de sueño y de vigilia se alteran. Además, los vuelos largos a países con climas diferentes afectan al metabolismo y los hábitos alimenticios diarios. En pocas horas podemos viajar desde el tiempo frío invernal de Nueva York, por ejemplo, al clima soleado del sur de California. Nuestro cuerpo ha de adaptarse a ese cambio repentino. En un viaje así es posible que también comamos alimentos diferentes: más platos y frutas tropicales. Todo eso tiene un efecto increíble en nuestro metabolismo, sobre todo en los riñones y glándulas suprarrenales.

Pienso que es fundamental protegernos los riñones cuando viajamos, para lo cual recomiendo tomar las siguientes precauciones:

1. Con la mayor frecuencia que pueda, viaje en la dirección en que se mueve el Sol. Esto no siempre es posible, evidentemente, pero para el cuerpo es mucho más fácil ir con el Sol que contra él. Viajar contra el Sol nos pone inmediatamente en una zona horaria diferente y acorta el día con más rapidez. Para cada cambio de zona horaria el cuerpo necesita como mínimo un día para reponerse, de modo que un cambio de dos horas hace necesarios dos días para adaptar y restablecer los ritmos corporales.

2. Lleve su propia comida, de preferencia alimentos naturales, como arroz u otros cereales integrales, o los alimentos con los cuales esté familiarizado su cuerpo. Esta comida es más fácil de digerir. Si no puede llevar su comida, elija alimentos que también crezcan en el clima de su tierra. Esto exigirá menos al cuerpo mientras se adapta a su nueva situación geográfica.

   Trate de comer los alimentos de más fácil digestión, como cereales integrales, verduras frescas, legumbres y pescado. Evite los alimentos de digestión difícil, como la carne roja, el queso seco y las pastas horneadas, y evite los alimentos excesivamente refinados que contengan grandes cantidades de azúcar o alcohol.

3. No beba alcohol antes de emprender el viaje ni en el avión. Debido a la altitud, el efecto que tiene el alcohol sobre el cuerpo es tres veces mayor que el que tiene en tierra: una cerveza a 10.500 metros de altura equivale a tres cervezas a nivel del mar. El alcohol entra en el torrente san-

guíneo con más rapidez y tiene un efecto casi instantáneo en la química cerebral.

4. Manténgase dentro de su zona horaria todo cuanto le sea posible. Cuando se atraviesan zonas horarias, el cuerpo ha de hacer dos adaptaciones importantes: una a la ida y otra a la vuelta. Si ha de atravesar zonas horarias, váyase a dormir a una hora lo más aproximada posible a su horario normal, y para despertarse haga lo mismo.

Siempre que bebemos demasiado líquido, la zona bajo los ojos se hincha. El consumo excesivo de líquido implica una sobrecarga de trabajo a los riñones y, a medida que éstos se cansan, la zona bajo los ojos se va oscureciendo cada vez más. El organismo da señales de cansancio. Los riñones necesitan descanso y menos líquido.

Muchas autoridades de la salud nos recomiendan beber ocho vasos de agua al día. En mi opinión, ese es un mal consejo. Es la consecuencia de nuestra dieta moderna desequilibrada. Los riñones y el organismo en su conjunto no tendrían para qué ser lavados así si no consumiéramos tantas toxinas químicas en los alimentos refinados ni tanta grasa. Una dieta compuesta de cereales integrales, verduras frescas, legumbres, algas (por ejemplo, *nori*, *wakame* y *konbu*) y pescado, en resumen, la dieta con la cual evolucionó el ser humano, proporciona una nutrición óptima, sin las toxinas químicas y grasas excesivas que necesitan ser extraídas del organismo.

Hemos sido agraciados con muchos impulsos saludables, dos de los cuales, el hambre y la sed, nos han guiado muy bien a lo largo de la evolución. Antes de este siglo no había autoridades de la salud que aconsejaran beber ocho vasos de agua diarios. La gente bebía cuando tenía sed y tomaba todo el líquido que necesitaba.

El organismo de cada persona es diferente. La cantidad de agua que consumimos depende mucho de nuestro estilo de vida, del tipo de trabajo que hacemos, de la cantidad de sal que consumimos, de la estación del año y del lugar donde vivimos. Por ejemplo, cuando se vive cerca del mar, los poros tienden a absorber más sodio del mar. En consecuencia, naturalmente se desea más agua. Si se trabaja en una granja y se suda profusamente, también se deseará más agua. Pero si se trabaja en una oficina con aire acondicionado, la necesidad de agua será diferente. No hay una sola regla que se pueda aplicar uniformemente. Sin embargo, podemos confiar en nuestro cuerpo. La sed ha funcionado bien durante miles de siglos, y yo confío en que sigue siendo la mejor guía para determinar la cantidad de líquido que debemos beber.

Otra manera como podemos dañar los riñones con la bebida es consumiendo bebidas excesivamente frías. Esto conmociona al cuerpo, sobre todo a los riñones, y es causa de que funcionen mal.

A veces se ven pequeños granitos bajo los ojos. Eso revela que hay mucha mucosidad en las minúsculas arterias renales que forman el riñón. La presencia de piedras en el riñón se puede ver en forma de granitos duros o puntos oscuros en las bolsas bajo los ojos. El consumo excesivo de grasas contribuye a la formación de cálculos renales.

Con frecuencia se ve que la zona bajo los ojos está oscurecida, de color castaño oscuro o incluso negra. Cuando esa zona se oscurece mucho la persona está ante una enfermedad inminente, o incluso la muerte. Los riñones se están agotando, ya no son capaces de purificar la sangre. En consecuencia se están acumulando desechos, en los riñones y en la sangre.

El consumo excesivo de sal también se revela en las bolsas de los ojos. El exceso de sal daña los riñones y es causa de presión arterial alta. La sal contrae, obligando a cerrarse a las pequeñas arterias renales. Esto tiene el mismo efecto que aplastar una manguera de jardín: el líquido retrocede y crea presión tras la zona aplastada.

Los riñones se consideran la sede de la vitalidad sexual. Sin embargo, al entregarse a excesos sexuales la persona puede agotar y dañar sus riñones. Esto es particularmente cierto en los hombres. Lo que se considera exceso sexual depende de la persona, lógicamente. Su definición está guiada por la constitución, salud física, necesidades psicológicas y dieta. Los antiguos maestros taoístas ofrecían las siguientes directrices en este tema: pasados los veinte años, los hombres deberán tomarse dos días de descanso entre relaciones sexuales; pasados los treinta, deberán tomarse tres días de descanso; pasados los cuarenta, cuatro días, etcétera.

El que desee seguir estas directrices depende estrictamente de usted. Sin embargo, si comienza a notarse oscuridad o hinchazón bajo los ojos cuando está disfrutando de muchas relaciones sexuales, tal vez le convenga pensar en disminuirlas un poco y dar descanso a su cuerpo, al menos hasta que desaparezcan las ojeras.

También el exceso de estrés hace daño a los riñones, así como a las glándulas suprarrenales, que bombean adrenalina hacia el torrente sanguíneo, manteniendo el cuerpo en estado de alerta y miedo. El temor y el estrés continuo agotan los riñones y pueden finalmente llevar a la muerte.

Las mujeres que han tenido un aborto suelen sufrir un tipo de daño muy sutil a los riñones, debido a la conmoción causada en el organismo por el aborto. Por lo tanto, después de un aborto son esenciales una dieta cuidada, sobre todo evitar alimentos grasos u oleosos, y un adecuado descanso, para la recuperación de los riñones y el restablecimiento de los órganos sexuales.

Los niños no deberían tener bolsas bajo los ojos ni ojeras. Cuando un niño presenta estos síntomas, hay que cuidarle los riñones. Habrá que imponerle largas horas de sueño y mantener abrigada la zona de los riñones para mejorar la irrigación sanguínea. Cuando el niño está en periodo de lactancia, su madre deberá evitar el tabaco, todo tipo de fármacos o drogas y el alcohol.

El cuerpo es nuestro vehículo para las experiencias y crecimiento espiritual durante nuestra estancia en la Tierra. Cuando llegamos a comprender el funcionamiento del cuerpo, la mente y el espíritu, aumenta nuestra capacidad para mantener y favorecer nuestra salud. También aumenta nuestra comprensión de la vida. Por lo tanto, la comprensión y protección del cuerpo son actos de maestría espiritual.

La nariz

El puente de la nariz
El puente de la nariz corresponde a la columna. Hay personas que tienen torcida la nariz, bien hacia la izquierda, bien hacia la derecha. Este rasgo común indica que la columna no está derecha: hay una curvatura o escoliosis, ya sea hacia la izquierda o hacia la derecha, generalmente en la misma dirección que toma la curvatura de la nariz.

Los músculos de la espalda, hombros, cuello y cara están íntimamente conectados. Si hay tensión en un lado del cuerpo, lo cual suele ser causa de alguna deformación de la columna, todos los músculos de la espalda, cuello y cara compensan esa tensión. Los desequilibrios de la espalda suelen reflejarse en la postura, en la manera de sostener los hombros, el cuello y la cara.

Cuando los músculos de la cara están afectados por la tensión o el estrés, también los rasgos cambian, como es natural. La tensión puede crear anormalidades desde leves a graves. La cara se ladea de una u otra manera porque el desequilibrio de la columna tira los músculos de un lado. Cuando es lo bastante grave el desequilibrio de la columna, los músculos tiran de la nariz en una u otra dirección. Cuando la columna está recta, la nariz es recta. Con frecuencia los ejercicios adecuados y Ohashiatsu pueden hacer muchísimo para corregir ese desequilibrio.

La nariz propiamente dicha
En la diagnosis oriental, la punta redondeada de la nariz se ha asociado desde mucho tiempo con el estado del corazón. Las ventanillas de la nariz revelan la fuerza constitucional de los pulmones.

La relación entre las ventanillas de la nariz y los pulmones es evidente. Las ventanillas son las puertas de entrada del oxígeno a los pulmones; y, por lo tanto, forman una unidad con el aparato respiratorio. Las ventanillas anchas y abocinadas revelan pulmones grandes con gran capacidad para el oxígeno. Los pulmones grandes son señal de fuerza y de potencial para el éxito en la vida. Los pulmones son algo más que simples

Las ventanillas derecha e izquierda son grandes y de igual tamaño.

*Nariz grande pero ventanillas
pequeñas.*

*La ventanilla izquierda (derecha
de la persona) es más pequeña
que la derecha.*

sacos de aire; representan la capacidad del cuerpo para asimilar la fuerza vital, el ki, que anima a la persona durante toda su vida. Si la capacidad de una persona para asimilar vida es pequeña, la capacidad de esa persona para dar, crear, imprimir su visión de la vida, es igualmente pequeña. Pero si la capacidad para asimilar es grande, la capacidad de la persona para influir en la vida según sus ambiciones también lo será.

A veces en una misma nariz se ven ventanillas de distinto tamaño. La izquierda es pequeña y la derecha es grande, o viceversa. Esto indica que los pulmones también son de diferentes tamaños. La ventanilla pequeña corresponde al pulmón pequeño, la grande al pulmón grande.

En la acanaladura de la ventanilla que toca la cara se ve el estado de los bronquios. Esta zona se enrojece e inflama por el consumo excesivo de productos lácteos, azúcar y alimentos con aditivos químicos. Esta rojez significa que los bronquios comienzan a estar congestionados por mucosidad. Los remedios recomendados son un cambio de dieta, sobre todo el aumento de verduras de hoja verde; mucho aire fresco, y adecuado descanso.

El fundamento de gran parte de la medicina oriental es el principio de que por todo el cuerpo circulan ordenadamente profundos canales de energía. Estos canales, llamados meridianos, nutren determinados sistemas del cuerpo, aunque a menudo discurren a distancias importantes del sistema de órganos que nutren. Varios meridianos, por ejemplo, circulan por la cabeza, entre ellos los meridianos que nutren la vejiga, la vesícula biliar, el estómago y los intestinos grueso y delgado. El meridiano del intestino grueso (uno a cada lado del cuerpo) comienza en la punta del dedo índice y termina en la punta de la nariz, en el interior de la ventanilla.

Cuando el intestino grueso no puede eliminar adecuadamente, la energía sube por el meridiano hasta la nariz y los senos nasales. Esto tiene por consecuencia la formación de moco y la congestión de los senos, provocando moqueo, dolores de cabeza y otras molestias.

Dado que la nariz y los senos nasales forman parte del aparato respiratorio, los pulmones también se congestionan cuando el intestino grueso no puede eliminar. Por lo tanto, una de las maneras como tratamos el resfriado común, o cualquier problema de senos nasales o pulmones, es tratar el intestino grueso. Cuando se elimina el estancamiento que hay allí, los senos se abren y los pulmones comienzan a limpiarse.

Como todo el mundo sabe, la nariz de la persona alcohólica se enrojece y queda marcada por capilares sanguíneos rotos; eso es algo tan común que es un misterio por qué no son más las personas que hacen esta sencilla relación: que el alcohol, substancia muy yin, dilata los capilares de la nariz y de otras partes de la cara. Este es un ejemplo muy fácil de observar de cómo se refleja el estado interno en la cara.

El estado del corazón se puede ver en la nariz. La nariz tiene dos músculos distintos que deberían unirse durante la gestación. Sin embargo, mu-

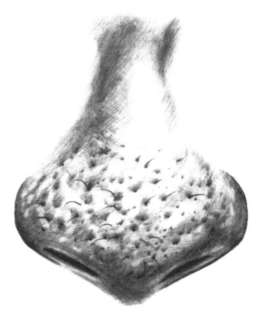

Nariz dilatada e hinchada con puntos rojos y vellos: corazón debilitado por el consumo excesivo de alcohol.

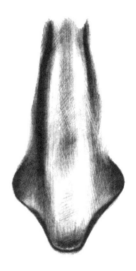

Nariz puntiaguda y delgada: dificultad para respirar.

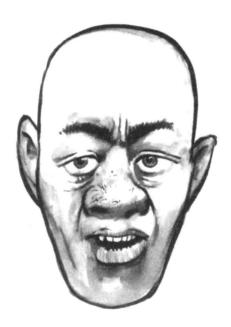

Piel rota sobre la nariz, ojos sanpaku yin y arrugas entre las cejas: problemas de corazón y de hígado debidos a un consumo excesivo de alcohol y fármacos o drogas.

chas veces se ve una fisura, ya sea en la base o en el centro de la nariz. Eso significa que los lados derecho e izquierdo del corazón no están bien coordinados. La persona que tiene esa fisura puede tener un leve soplo al corazón, o tal vez lo tuvo en su infancia.

Cuanto más pronunciada la fisura, más grave es el trastorno cardiaco. Eso se puede remediar haciendo los cambios pertinentes en la dieta y estilo de vida, reduciendo el consumo de grasas y eliminando el exceso de estrés.

El corazón es una bomba eléctrica. La electricidad que hace actuar la bomba es producto de un proceso de ionización del oxígeno. Las moléculas de oxígeno pierden un electrón, debido a lo cual los electrones fluyen por un circuito del corazón y este flujo de electricidad lo hace latir. El oxígeno lo proporcionan las arterias coronarias que irrigan el músculo del corazón. A veces estas arterias están obstruidas por placas o ateromas, trastorno llamado aterosclerosis. La causa de este trastorno es una dieta rica en grasas (colesterol). Las placas se forman dentro de las arterias, obstruyéndolas y cerrándolas en diferentes grados. Esto hace que al corazón lleguen diferentes cantidades de oxígeno, creando un desequilibrio; debido a este desequilibrio, el circuito eléctrico que rodea el corazón funciona de manera espasmódica, sin coordinación. Este mal funcionamiento del circuito eléctrico produce latidos irregulares y en última instancia puede ser causa de infarto.

Este problema se puede ver fácilmente en la cara de una persona. Cuando el corazón está agobiado y sofocado por falta de oxígeno, los capilares de la cara comienzan a expandirse. La cara se pone roja, la nariz se enrojece y se hincha. A veces aparecen vasos sanguíneos rojos en el bulbo de la nariz. Una persona cuya cara tiene este aspecto está muy cercana a un infarto y debe consultar a un médico inmediatamente.

De vez en cuando se ve a una persona a la que le aparecen vellos en las ventanillas de la nariz. Eso indica que consume mucha cantidad de proteína de origen animal. Sus arterias coronarias están llenas de colesterol de los alimentos de origen animal.

Hay también personas que tienen la nariz de color normal, no rojo, pero hinchada. Eso sugiere un corazón hinchado debido a un consumo excesivo de productos lácteos, también ricos en colesterol, y tal vez a demasiada cafeína.

Los chinos consideraban la nariz entera, incluido el puente, como el instrumento diagnóstico para el estado del páncreas y el bazo. Si la nariz o puente de la nariz de una persona está enrojecido, indica la presencia de hipoglucemia. La causa es demasiada azúcar, fruta y zumo de frutas.

El filtro

Debajo de la nariz está el surco vertical llamado filtro. Este surco está formado por la potente fusión de la cara durante la gestación. Cuando

*Las líneas de los lados son
paralelas.*

*El espacio es estrecho por arriba
y ancho por abajo*

*El espacio entre las líneas es ancho
por arriba y estrecho por abajo.*

*Espacio estrecho por arriba; se ensancha y vuelve
a estrecharse.*

No hay líneas de filtro.

estamos dentro del vientre materno, nuestro desarrollo recapitula la evolución humana; durante gran parte de la gestación nos parecemos a un pez, con los ojos a cada lado de la cabeza y la boca ancha a todo lo largo de la parte inferior de la cara. Poco a poco la cara se va uniendo, cerrando, consecuencia de una potente fuerza yang. Los ojos quedan al frente, la boca se empequeñece y se forma el filtro, que nos sirve de recordatorio de las poderosas fuerzas que nos convirtieron en ser.

Si durante la gestación la fuerza yang era fuerte, el filtro es profundo y nítido. Si la fuerza yang era débil, el filtro es más superficial y leve.

Un filtro yang nítido indica sólida fuerza constitucional. Las personas que tienen un filtro yang suelen ser ambiciosas, concentradas y orientadas hacia un objetivo. Suelen tener gran apetito de vida, sobre todo de comida y sexual. Estos apetitos son aún más pronunciados cuando es grande la distancia entre la nariz y el labio superior.

Las personas de filtro más ligero y superficial tienen una constitución más yin. Prefieren trabajar con la mente más que con el cuerpo; son más suaves y amables. No son tan motivados sexualmente como las personas de filtro yang, aunque la actividad sexual es un aspecto importante de su vida. Distribuyen sus energías, su fuerza vital, para alcanzar sus objetivos más importantes. Sencillamente no están impulsados por la energía avasalladora, como lo están los que tienen el filtro prominente y fuerte constitución yang.

Además de ser profundo o superficial, el filtro puede tener diversas formas. En la mayoría de las personas, sobre todo en aquellas que tienen el filtro fuerte y nítido, la forma está limitada por dos líneas rectas paralelas. A veces se ve que las líneas forman un ángulo, como los lados de un triángulo invertido que no se encuentran en el vértice. Una persona con este tipo de filtro ha nacido débil, pero poco a poco irá ganando fuerza a lo largo de su vida y experimentará una mejoría de salud a medida que se haga mayor. Si el triángulo está con el vértice hacia arriba, se deberá entender todo lo contrario. Es decir, esa persona nació fuerte y se irá debilitando gradualmente.

De vez en cuando se ve un filtro cuyos lados están arqueados hacia los lados, formando un óvalo. Eso significa que al comienzo de su vida la salud de la persona era débil; experimentará una mejor salud durante la madurez, pero al llegar a la vejez deberá cuidarse porque su salud volverá a ser más delicada.

Muchas veces se ven mujeres con bigote. Dado que la zona que está por encima del labio superior corresponde a los órganos sexuales, el bigote en la mujer significa que hay problemas en los órganos sexuales. Normalmente el problema es que los órganos sexuales están obstruidos por demasiada mucosidad y proteínas que no se pueden eliminar totalmente durante la menstruación. Las mujeres jóvenes con bigote suelen tener problema para quedar embarazadas. Por lo general hay concepción, pero hay impedimentos para que el óvulo fertilizado se implante. El útero y el óvulo están cubiertos de mucosidad, lo cual hace difícil, si no imposible, la implantación.

Las mujeres que tienen vello en la barbilla sufren de desequilibrios hormonales, debidos generalmente al consumo excesivo de grasas o por comer en exceso. Las grasas producen desequilibrios hormonales tanto en los hombres como en las mujeres, por lo cual su consumo ha de mantenerse en el mínimo, sobre todo si la persona experimenta cualquier desequilibrio hormonal.

La boca

El tracto digestivo comienza, evidentemente, en la boca y termina en el ano. Esencialmente es un tubo largo que permite la asimilación del alimento llevándolo al torrente sanguíneo y las células del cuerpo. En mis clases me gusta hacer un dibujo de una persona en forma de una lata de gaseosa, como un tubo con una abertura en ambos extremos. El dibujo revela la unidad esencial del tubo digestivo y la unidad entre uno y otro extremo. Es importante entender esta unidad para comprender completamente la manera de hacer la diagnosis de los intestinos.

Los intestinos están constantemente recibiendo alimentos procedentes del entorno y eliminando desechos que vuelven a ese entorno. Este intercambio es similar al funcionamiento de los pulmones, que toma oxígeno, otro elemento esencial de la vida, del entorno y elimina el desecho en forma de dióxido de carbono. Por este motivo los sanadores orientales han considerado órganos relacionados el intestino grueso y los pulmones. (Tendré mucho más que decir sobre los órganos relacionados en el capítulo 3, cuando hablemos de la teoría de los Cinco Elementos o las Cinco Transformaciones.)

En el Japón tradicional se decía que la boca no debía ser más ancha que la base de la nariz, pero yo digo a mis alumnos que el ancho normal de la boca equivale a la distancia entre las pupilas de los ojos. Si se bajan dos líneas verticales imaginarias desde las pupilas, los extremos de la boca deberían quedar dentro de esas líneas.

SER HUMANO IMAGINARIO DE OHASHI

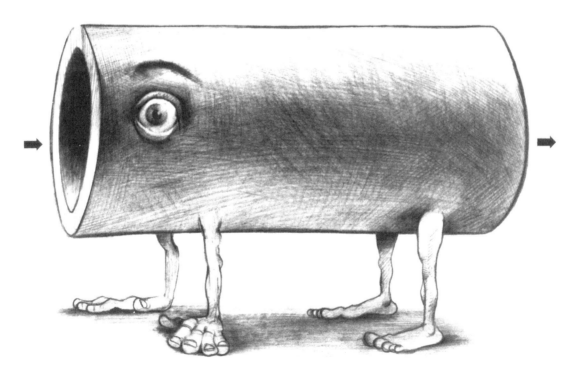

Los materiales entran; los materiales sobrantes salen.

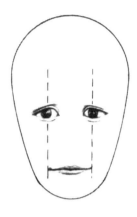

Las líneas verticales paralelas que pasan por el centro de las pupilas deberían tocar los extremos de la boca. Si los extremos sobresalen, entonces se dice que la persona tiene «boca grande».

Labios sanos, uniformemente desarrollados, húmedos, de hermoso color.

Los labios superior e inferior son del mismo grosor.

El labio superior es más grueso y domina.

Las bocas que sobrepasan esa anchura revelan un tracto intestinal más yin o expandido. Las personas de boca ancha sufren de problemas digestivos, ya sea diarrea o estreñimiento crónicos. Si los labios de una boca ancha están húmedos con frecuencia, la persona generalmente sufre de diarrea crónica; si la boca está permanentemente seca, indica estreñimiento.

Los labios deberían ser llenos pero prietos, con una curva agradable, y no deberán aparecer hinchados ni dilatados.

De vez en cuando se ven labios hinchados, lo cual refleja debilidad en la peristalsis y la asimilación de substancias nutritivas. Las personas que tienen los labios tirantes o delgados suelen comer cantidades excesivas de carne vacuna u otras carnes rojas. Los intestinos de estas personas están obstruidos por desechos no eliminados. Esta tirantez se suele ver en los labios superiores de personas mayores de Estados Unidos. La asimilación está obstaculizada y se está produciendo una degeneración.

El labio superior revela el estado del estómago y del intestino delgado. También indica la fuerza del apetito.

El borde del labio superior, donde el labio rojo se encuentra con la piel, revela el estado del estómago. Si el labio está bien definido, el estómago es naturalmente fuerte. Si esa línea no está bien definida, el estómago no es tan fuerte y hay que protegerlo.

La parte inferior del labio superior revela el estado del intestino delgado. A veces se ven manchas blancas allí; estas manchas indican que hay mala circulación en el intestino delgado. Si las manchas son oscuras o de tono púrpura, hay un serio estancamiento de sangre y es preciso tomar medidas para ponerle remedio: un cambio de dieta, ejercicio (sobre todo de estiramiento en el sector medio del cuerpo), Ohashiatsu, y tal vez acupuntura.

El labio inferior revela el estado del intestino grueso y del colon. También indica la intensidad de asimilación de los alimentos.

También el labio inferior ha de ser lleno y bien formado. Muchas veces se ve a una persona con el labio inferior hinchado, lo cual indica problemas crónicos del intestino: la peristalsis es débil y la persona sufre de diarrea o estreñimiento. Examine el labio inferior para ver si hay puntos de color rojo o castaño, lo cual indicaría úlceras o hemorroides. La persona sufre habitualmente de hemorroides si el labio inferior está especialmente hinchado y tiene muchas arrugas.

La hinchazón, evidentemente, es un síntoma muy relativo. Observe los labios para ver si hay un lado o parte que esté hinchado.

Las comisuras de los labios revelan el estado del duodeno. Hay personas que sufren de llagas en las comisuras de los labios, lo que se debe a la presencia de demasiada grasa en la dieta, que se acumula en el duodeno y es causa de que el hígado y la vesícula biliar secreten cantidades mayores de ácidos biliares. Los ácidos biliares son necesarios para descomponer las grasas; sin embargo, cuantos más ácidos biliares se secretan, más duro y más tóxico se hace el ambiente intestinal. Numerosos estudios científicos han demostrado que la secreción excesiva de ácidos biliares fortalece las substancias cancerígenas y activa el desarrollo de tumores.

Para digerir bien es esencial masticar. Cada bocado de alimento ha de masticarse entre 30 y 50 veces. Cuanto más masticamos, más saliva secretamos, y la saliva es esencial para la digestión sana. La saliva contiene enzimas necesarios que comienzan el proceso de la digestión. Es también muy alcalina, lo cual prepara el alimento para el estómago y los intestinos. Una vez que el alimento entra en el estómago y el duodeno, tiene lugar la secreción de ácidos. Los alimentos de base alcalina equilibran el ambiente ácido del estómago, protegiéndolo del exceso de ácido que, de otra manera, daría origen a trastornos gástricos, entre ellos las úlceras. Si no masticamos adecuadamente los alimentos, el ambiente del estómago no tiene ningún tampón alcalino para neutralizar sus ácidos. Estos ácidos actúan sobre el revestimiento interior del estómago y producen innumerables enfermedades estomacales y digestivas.

Además de masticar bien es mejor no beber durante la comida ni inmediatamente después. Cuanto más se bebe, más se disuelve y elimina la saliva de la boca.

*El labio inferior es más grueso
y domina.*

Todos los grupos étnicos tienen sus dones y sus peculiaridades respecto a la comida. A mí me gusta decirles a mis alumnos que los japoneses comen con los ojos: todo tiene que ser hermoso para que estén dispuestos a llevarse el alimento a la boca. Los chinos comen con la nariz: el alimento tiene que oler bien para comerlo; además, tienen que olerlo a un kilómetro de distancia para que les despierte el apetito. Los italianos y los franceses comen con la lengua: el alimento tiene que ser muy sabroso; ha de haber muchas salsas, una enorme variedad de sabores.

Los estadounidenses comen con las «tripas». También les gusta «comer y escapar». En todo el país veo letreros que dicen *«eat and run»* [coma y corra], o *«fast food»* [comida rápida], o *«food to go»* [comida para continuar la marcha]. Pero yo me pregunto ¿a quién le gusta comer y salir corriendo? Eso no es bueno para nadie.

No coma y corra. Coma y relájese; mastique bien y proteja su digestión y su vida. Cuanto más disfrute de su comida más disfrutará de su vida.

Los dientes

En los dientes se revelan muchos secretos sobre la vida. Los dientes nos dicen lo que comían nuestras madres, sobre todo durante los nueve meses que nos llevaron en el vientre. También nos dicen mucho acerca de la relación que tuvimos con nuestras madres y sobre nuestra crianza. Nos revelan la dieta de nuestros antepasados y los alimentos que debemos comer para mantener la salud y la orientación en la vida. Finalmente, los dientes tienen una importante e interesante relación con la columna, de la cual hablaré más adelante.

Comencemos por el principio, el principio mismo, cuando se unen el espermatozoide y el óvulo y forman un feto vivo. El espermatozoide y el óvulo son dos células que se combinan para formar la totalidad de genes y un embrión humano vivo. En ese momento, las células comienzan a dividirse rápidamente y tiene lugar el desarrollo fetal.

En mis clases me gusta hacer un dibujo de estas dos células, el espermatozoide y el óvulo, que se combinan; las dos se convierten en una. Pero los indicios de las dos células permanecen en todas las partes de nuestro cuerpo como la dualidad de la vida. Un aspecto de esa dualidad es la formación de los dientes y las vértebras. Los dientes y las vértebras son dos conjuntos de huesos pequeños, uno más pequeño que el otro, es cierto, pero de todos modos muy parecidos.

Tenemos 32 dientes y 32 vértebras. Durante la gestación, un conjunto de huesos pequeños sube hasta la boca para formar los dientes; el otro se alinea hacia abajo para formar la columna. La relación entre los dientes y la columna continúa durante toda la vida. Nuestra capacidad para masticar, por ejemplo, depende de la rectitud de la columna. Si la columna se tuerce o daña de alguna manera, la masticación también se ve afectada: es posible que aparezcan problemas para masticar, por exceso o por defecto, al apretar los dientes. O la mandíbula puede desequilibrarse hacia un lado o el otro, con lo cual un lado mastica antes que el otro. Puede resultar muy doloroso masticar si hay desalineación de la columna. La tensión en la espalda suele expresarse haciendo rechinar los dientes o apretando las mandíbulas; la mandíbula suele intentar aliviar la tensión que se acumula en la columna.

Cuando hablemos con más profundidad de la columna en el capítulo 5, veremos esta relación complementaria entre la mandíbula y la columna.

Todos nuestros dientes, incluso los dientes de adulto, se forman durante la gestación. Todos están presentes en las encías cuando nacemos. Los dientes están hechos de calcio y otros minerales. Igual como ocurre con el resto de nuestra constitución, su fuerza depende de la dieta de nuestra madre. Tendremos dientes cualquiera que haya sido la dieta de nuestra madre, pero la fuerza de esos dientes dependerá de la presencia en su dieta de calcio, fósforo, magnesio y otros elementos nutritivos.

Lo que come la futura madre revela mucho acerca de su actitud hacia el embarazo y hacia su hijo o hija. Si la madre come mucha fruta y azúcar, y bebe alcohol o toma drogas o fármacos, los dientes de su hijo serán débiles. Este tipo de dieta durante el embarazo suele revelar que el embarazo era conflictivo para la madre. Intenta escapar a su realidad consumiendo estos alimentos y otras substancias.

Este conflicto puede producir alteraciones en la circulación del ki en la madre. La energía se acumula en ciertos órganos, como el hígado, en donde pueden quedar atrapadas la rabia y la hostilidad. Estas energías no circulan libremente por todo el cuerpo, con lo cual no nutre otras partes del cuerpo de la madre y el cuerpo del feto. Cuanto más conflictiva sea la vida de la madre, más atraída se siente hacia alimentos que la van a debilitar a ella y a su bebé. Estos factores, es decir, la dieta de la madre, su actitud hacia el embarazo y el apoyo del ambiente externo, vale decir su pareja, se combinan para aumentar o disminuir la fuerza de la constitución del bebé, incluidos sus dientes.

Los dientes torcidos en un niño indican que la madre tuvo algún tipo de dificultad durante el embarazo. Las energías que dirigían el descenso recto de los dientes no eran estables sino que estaban en conflicto, siendo causa de que los dientes estén en conflicto mutuo.

Los dientes salientes revelan que la madre consumía muchas ensaladas, verduras crudas, frutas, zumos de fruta y azúcar durante el embarazo. Esta anomalía está causada por alimentos yin, o expansivos.

Los dientes inclinados hacia atrás, como los de un tiburón, revelan una dieta excesivamente yang durante el embarazo, con alimentos como carne roja, huevos, pollo y sal.

Los dientes buenos y fuertes durante la infancia y la edad adulta revelan una familia en buena relación que estaba consciente de la necesidad de cuidar del niño o niña, incluidos sus dientes. La familia comía una dieta sana, rica en verduras frescas. Las verduras, por cierto, son la fuente de muchas vitaminas y minerales esenciales para unos dientes sanos.

Los dientes débiles o con caries revelan que la dieta de la madre durante el embarazo era pobre en minerales, lo cual la debilitó a ella misma. La aparición posterior de caries indica una familia que no prestaba mayor atención a la higiene dental ni a los primeros hábitos alimentarios. Los alimentos refinados, sobre todo los azúcares, producen ácidos en la boca y en la sangre, y el ácido es causa del deterioro de los dientes. La sangre rica en ácido favorece la presencia de muchos virus y resfriados, siendo causa de mala salud en la infancia.

Un niño, evidentemente, va a influir en el estado de sus dientes según lo que coma. Si la educación del niño es buena y sus hábitos dietéticos son sanos, sus dientes se desarrollarán bien. En cambio, si tiene conflictos y su infancia es dolorosa, se sentirá más atraído a alimentos yin para evadirse de la realidad y alentar una existencia de fantasía. Substancias como el azúcar, las gaseosas, la fruta en exceso, los zumos de fruta y la harina refinada, facilitan la creación de un mundo de fantasía que compense las dificultades y el sufrimiento en el entorno inmediato.

Los dientes revelan muchos secretos de la evolución humana. Los paleontólogos estudian dientes fosilizados para conocer la dieta de nuestros antepasados. Veamos qué podemos aprender de nuestra evolución y de la dieta que nos ha diseñado.

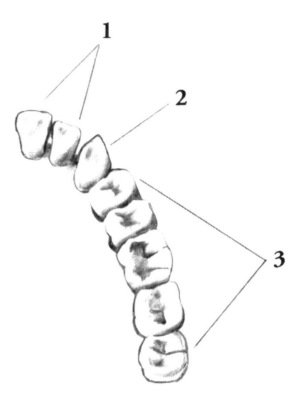

Dientes humanos: 1) incisivos para cortar verduras y frutas; 2) caninos para despedazar carne o pescado; 3) molares para moler cereales. Según nuestros dientes, la dieta de los seres humanos debería consistir en 2 partes de verduras y 5 partes de cereales por cada parte de carne.

Poseemos 32 dientes, que se pueden clasificar de la siguiente manera: 4 caninos, o dientes puntiagudos y afilados; 8 incisivos, o dientes frontales; 20 molares y premolares.

Los caninos se usan para desgarrar la carne. Si miramos dentro de la boca de un león o un tigre (animales cuyo principal alimento es la carne), veremos la boca llena de dientes caninos. Lo mismo es válido para perros y gatos. Estos animales tienen también tubos digestivos muy cortos. Sus dientes y sus intestinos son perfectos para el consumo de carne, que hace precisos dientes afilados y puntiagudos para desgarrar la carne animal, y tractos digestivos cortos para eliminar el alimento rápidamente. Cuanto más tiempo permanece la carne en el intestino, más probabilidades hay de que se pudra y cause enfermedad. La evolución ha equipado bien a estos animales para sus hábitos alimenticios específicos.

Las vacas no tienen dientes caninos, sólo tienen incisivos y molares, lo cual indica que su dieta está compuesta enteramente por materia vegetal, en este caso, hierbas y cereales. Los incisivos son largos, anchos y planos en su base, como el filo de un cuchillo para cortar verduras. Muerden y cortan. Las verduras y las frutas son las que mejor van para ese tipo de dientes. Los incisivos muerden los alimentos; no los muelen ni los procesan en la boca.

La principal función de los molares, que hacen la mayor parte del trabajo, es moler. Los alimentos con que trabajan mejor son los cereales y, en menor medida, las verduras. Cualquiera que haya tratado de comer un bistec sabe que los molares no pueden masticar totalmente la carne y hay que tragarla entera; baja como una bola de nervios. Puesto que los intestinos no tienen dientes, no están bien equipados para tratar esa bola. En consecuencia, la mayor parte del alimento de origen animal que comemos nunca se digiere totalmente, y un porcentaje de él ni siquiera se elimina de los intestinos. Queda allí pudriéndose, causando a veces enfermedades graves, entre otras, cáncer de colon.

Las personas que comen carne con regularidad tienen un mayor nivel de amoniaco en la sangre y los tejidos. El exceso de proteína de la carne se descompone en nitrógeno, el cual forma amoniaco, una de las toxinas más potentes y destructivas del cuerpo. Deforma las células y el ADN, y puede causar cáncer. Huele mal también. Es el amoniaco el que produce el olor corporal y la enorme industria de desodorantes.

Los cereales y las verduras, por el contrario, pueden masticarse totalmente; quedan molidos en trocitos pequeñísimos, más fáciles de ser digeridos en el estómago y los intestinos. Los cereales y las verduras tienen además el beneficio añadido de la fibra, que limpia de desechos a los intestinos. La fibra hace avanzar los desechos por el tubo digestivo, contribuyendo así a eliminarlos del cuerpo.

La proporción ideal de cereales, verduras y alimentos de origen animal es de 5:2:1. La evolución nos ha predispuesto a comer una dieta compuesta de 5 partes de cereales, 2 partes de verduras y una parte de alimentos de origen animal o proteínicos.

Esta es, esencialmente, la dieta de los pueblos más tradicionales. Donde quiera que mire en el mundo, verá la misma dieta general, ya sea en Asia, Europa, África, India, Oriente Medio o entre los indios americanos. En Asia, los cereales son el arroz integral, la cebada, el mijo y el trigo; en Europa, el trigo, la cebada, el mijo y la avena; en África, el mijo y el trigo; en India y Oriente Medio, principalmente el trigo; entre los indios americanos, especialmente de América del Sur y Central, sobre todo el maíz.

Históricamente, los seres humanos han comido todo tipo de alimentos de origen animal. Sin embargo, las cantidades eran limitadas y se comían junto con cereales y verduras. Por lo general el consumo se reservaba para ocasiones y festividades, porque la provisión era limitada, sobre todo la carne de vacuno y cerdo. También los pueblos tradicionales de todo el mundo han comprendido que comer cereales y verduras produce longevidad, y que el consumo de alimentos de origen animal ha de limitarse para mantener la salud.

Como he dicho, los dientes y la digestión están íntimamente ligados. Los japoneses, por ejemplo, desde hace muchísimo tiempo han sido consumidores de cereales, sobre todo de arroz. En consecuencia, los japoneses tienen un tubo digestivo mucho más largo que muchos pueblos occidenta-

1

*Primero aparecen los incisivos,
para fruta y verduras.*

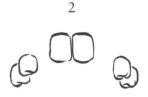

2

*Después aparecen los molares,
para cereales: pan, arroz y pastas.*

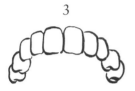

3

*Finalmente se completa
la dentadura, en cuyo momento
la mayoría de los niños ya están
preparados para dejar
el pecho materno.*

les, especialmente de aquellos cuyo consumo de carne ha aumentado durante las últimas generaciones.

La aparición de los dientes en los bebés nos habla también del desarrollo de su digestión. Los primeros dientes que le salen a un bebé son normalmente incisivos. Su aparición indica que el bebé está preparado para tomar sopa de verduras. El desarrollo del aparato digestivo es aún limitado; todavía no pueden consumir alimentos enteros, como lo indica la ausencia de molares, necesarios para molerlos. Cuando aparecen los molares, los padres pueden aumentar la cantidad de alimentos enteros en su dieta. El primer alimento entero debería ser un *porridge* de cereales muy líquido.

Cuando el bebé tiene todos los dientes, ya está preparado para ser destetado y para consumir mayor cantidad de alimentos enteros. Por supuesto, el consumo de sal deberá limitarse en los bebés y niños. Las verduras deberán cocerse sin sal para los niños pequeños, y la sal sólo se introducirá en cantidades pequeñas cuando ya ha pasado de los cinco años.

La lengua

La mayor parte del cuerpo humano está cubierto por una piel resistente que no cambia mucho de un día a otro. Sin embargo, las membranas mucosas y la piel que las rodea son muy sensibles y capaces de cambios rápidos. Cualquier cambio en nuestra salud, sobre todo si afecta a la producción de mucosidad en el cuerpo, afecta también a la piel que rodea las membranas mucosas, produciendo grietas o excreción de moco.

A las personas no les gusta que otra persona les examine los genitales o

*Diagnosis de la lengua: al sacar la lengua,
ésta no deberá temblar ni sacudirse, y deberá
estar limpia, no cubierta de saburra.*

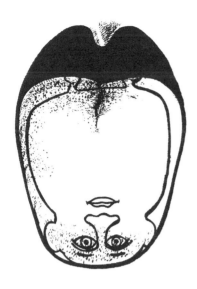

Diagnosis de la zona de la lengua: lo micro representa lo macro. Proyecte el cuerpo entero en la lengua.

el ano, pero normalmente permiten que se les examine otra de las membranas mucosas: la lengua. La lengua revela mucho acerca del estado actual de salud.

La destreza de la lengua está directamente relacionada con el estado del corazón. Un corazón fuerte se revela en la buena articulación de las palabras; la mala articulación al hablar suele indicar algún tipo de problema cardiovascular, que puede ser, entre otras cosas, un soplo, arritmia, angina de pecho o mala irrigación cardiaca, la llamada insuficiencia coronaria. El tartamudeo repentino también es indicio de debilidad en el corazón causada por un consumo excesivo de líquido.

En mis clases suelo dibujar una lengua y después sobre ella una cabeza humana, la parte superior en la punta de la lengua, y la boca más hacia el fondo.

En la diagnosis oriental consideramos que la punta de la lengua revela el estado actual de nuestros pensamientos. Con frecuencia hay una pequeña red de puntitos rojos en el borde de la punta de la lengua. Esos puntos revelan un grado de estrés, tensión y temor superiores al normal. Estamos pensando mucho; nuestro cerebro y sistema nervioso están sobrecargados de trabajo.

La región media de la lengua corresponde a los aparatos digestivo y respiratorio. El dorso corresponde a los riñones y al aparato reproductor.

La lengua deberá estar limpia y despejada. Eso indica que la digestión y la circulación son buenas. También revela que la persona no está comiendo en exceso.

Sin embargo, con frecuencia la lengua está cubierta entera o parcialmente por una especie de musgo blanco llamado saburra o sarro. La concentración de saburra en cualquiera de las zonas mencionadas indica que la parte correspondiente del cuerpo está particularmente estresada o estancada.

Hay dos causas básicas de la formación de saburra de la lengua:

1. Consumo excesivo de grasas, productos lácteos y pastas horneadas; estos alimentos congestionan el organismo. La grasa de la carne, huevos y productos lácteos obstruye la circulación sanguínea y se acumula en forma de placas en los capilares, vasos y arterias. Los pasteles y pastas horneadas pueden ser de difícil digestión.
2. Exceso de comida. Cuanto más se come más difícil es hacer bien la digestión. Eso es de sentido común. Los sabios y sabias a lo largo de toda la historia siempre han dicho que uno de los secretos de la longevidad es un estómago ligeramente vacío.

Cuando hay una gruesa capa blanquecina en la lengua quiere decir que hay una acumulación particularmente aguda en el tubo digestivo. Los intestinos no son capaces de eliminarlo todo y, por lo tanto, hay acumulación. El cuerpo intenta eliminar estos desechos por cualquier parte que le sea posible, incluida la lengua. Ese mismo mecanismo es el que funciona cuando tenemos dolor de estómago y mal sabor de boca. El cuerpo intenta hacer salir el problema por la boca, y eso provoca el mal sabor.

Además de recubrirse por esa capa blanquecina, la lengua puede adquirir otros colores, por ejemplo castaño oscuro o negro. Los colores oscuros, sobre todo el negro, indican una seria descarga de toxinas de los riñones. Normalmente la lengua ennegrecida sugiere un problema grave. El funcionamiento de los riñones está debilitado o dañado y la persona debe buscar asistencia médica inmediata.

También se puede poner amarilla, lo que indica un problema de hígado, vesícula biliar o bazo. El matiz amarillo indica la presencia excesiva de bilis en el torrente sanguíneo.

De vez en cuando se ven llagas ulcerosas que se forman en la lengua. Estas erupciones de la piel indican problemas de bazo y estómago, producidos por el consumo excesivo de alimentos ácidos, como son las especias, la salsa de tomate, las berenjenas, los pimientos y el azúcar.

Una vez que andaba de viaje por India quería comprar algunos recuerdos para mi familia y amigos. Visité la farmacia local y descubrí un utensilio destinado a rasparse la lengua para eliminar la saburra. Los indios se raspan la saburra de la lengua para eliminar desechos acumulados y apreciar mejor el sabor de sus platos. Quedé francamente impresionado. Compré muchos raspadores de lengua ese día y los envié de regalo a amigos, animándolos a rasparse la lengua.

Las orejas

En la diagnosis oriental, las orejas están entre los aspectos más importantes y reveladores de todo el cuerpo. Las orejas de cada persona son únicas. No hay dos iguales. Incluso las dos orejas propias son ligeramente diferentes. Las orejas son más grandes que las huellas digitales y están siempre a la vista. En muchos países usan la oreja como un rasgo identificador en las fotografías de pasaporte.

Así como la cara es una paradoja de diversidad dentro de la similitud, así ocurre también con las orejas, que tienen características que se pueden leer, igual como se puede leer la cara, para revelar la naturaleza interior.

En todo el arte budista se ve representado a Buda con unas orejas largas y hermosas. Sus orejas son redondas por la parte superior, anchas en el medio, y maravillosamente ahusadas hasta los largos lóbulos que cuelgan como pesados péndulos hasta los hombros. ¡Son orejas de elefante en un ser humano! ¿Qué significa eso? ¿Por qué representan a Buda con unas orejas tan grandes?

La respuesta es que en Oriente, incluida India, siempre se ha comprendido y reconocido la validez de la lectura de la fisonomía o cara. La cara de Buda es la imagen de la bienaventuranza: sus cejas son largas y redon-

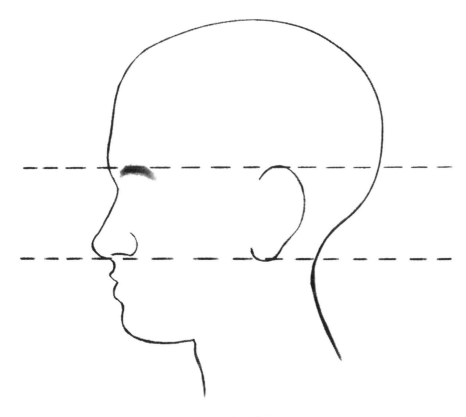

Localización ideal de las orejas.

Orejas largas.

deadas, sus ojos suaves y amables, su boca estrecha y cerrada. Desde el punto de vista de la diagnosis oriental, su cara es el rostro humano esencial: refleja amor, sabiduría, paz y realización, que son el destino final de todos los seres humanos que viajan en la rueda de la vida. Pero entonces ahí están esas orejas, esas largas y extrañas orejas. ¿Cómo podemos entenderlas? Para el diagnosticador oriental, son la confirmación de la riqueza heredada de la naturaleza de Buda. Las orejas pretenden revelar la riqueza espiritual secreta con la cual Buda entró en esta vida. Permítame que lo explique.

Desde antaño las orejas se han relacionado con los riñones. Nuestros dos riñones están situados en la región media de la espalda, justo debajo de la caja torácica. Curiosamente, las orejas son más o menos del mismo tamaño y la misma forma que los riñones. En Japón decimos que para ser un buen escucha es necesario tener los riñones fuertes.

En la medicina oriental, las orejas revelan la fuerza constitucional de los riñones, que son el arca del tesoro de la herencia ancestral de la persona. Distribuyen la energía o ki por todo el cuerpo, reparten los dones de la herencia de una persona en forma de talentos y oportunidades en la vida. El talento para la música, el arte, la enseñanza, la construcción, sea cual sea la capacidad, está allí, almacenada en los riñones, imbuida en la vida de la persona, dándole así la orientación. Por eso podemos decir que el camino de la vida de la persona se despliega a partir de sus riñones.

Las orejas también revelan la fuerza constitucional de los sistemas circulatorio, digestivo y nervioso. En Oriente se dice que la oreja revela el grosor de la comprensión que tiene la persona de los demás y de la vida misma.

Cuando examinamos las orejas, por lo tanto, miramos mucho más que la bocina exterior del mecanismo de la audición. Miramos la fuerza de los riñones y el legado ancestral de la vida de esa persona determinada. Es muy notable lo que vemos, por lo que debemos mirar con atención si deseamos comprender verdaderamente a esa persona.

En diagnosis oriental decimos que las orejas deben ser grandes y bien formadas. La parte superior ha de ser redondeada, la región media bastante ancha, y luego irse estrechando hacia el lóbulo. El lóbulo ha de ser grande. Ahora miremos con más atención cada una de las características de la oreja y sus significados.

Para comenzar, vamos a usar nuestra directriz de que lo micro revela lo macro. Durante su etapa de gestación el bebé está en posición invertida en el vientre de su madre. La cabeza es la parte más desarrollada del cuerpo. El resto del cuerpo está encorvado, presentando una imagen bastante similar a la de una oreja, en que la cabeza está representada por el lóbulo, y los sistemas circulatorio y nervioso están representados por los dos estratos del borde exterior de la oreja. La parte más externa parece un neumático que discurre a lo largo del borde; este borde saliente representa el sistema circulatorio.

DIAGNOSIS DE LA
ZONA DE LA OREJA

Cuando ese borde es grueso y ancho, revela un sistema circulatorio fuerte y bien desarrollado. Una persona que tiene el borde de la oreja grueso tiene una temperatura corporal bien regulada, las extremidades calientes y bien nutridas con sangre, y una personalidad fuerte, estable y centrada.

Por lo general un buen sistema circulatorio significa que la persona se entiende bien con una amplia variedad de personas. Comprende a los demás, no amenaza ni se siente amenazada, y es capaz de hacer amistades.

Con frecuencia se ven personas que tienen muy poco o nada de grosor en el borde de la oreja. De vez en cuando se ve a una persona que tiene la parte superior de la oreja puntiaguda y sin nada de grosor en el borde.

La ausencia de borde exterior indica un sistema circulatorio débil, causado por el exceso de alimentos de origen animal que consumió la madre durante el embarazo. Las orejas puntiagudas, como las del ex consejero de seguridad nacional Zbigniew Brzezinski, son consecuencia de la abundancia de carne, sobre todo de vacuno y cerdo, que consumió su madre durante el embarazo.

Las personas que tienen poco o nada de borde grueso tienen tendencia a recelar de los demás. Las personas de orejas con la parte superior puntiaguda pueden ser muy desconfiadas de los demás, críticas y agresivas. Suelen ser prontas para la pelea y la discusión. Creen que la mejor defensa es un buen ataque. Están en alerta constante, prontas para la batalla. Pueden caer fácilmente en la paranoia. Su agudo intelecto es propenso a ver los elementos oscuros de los demás y no ven el lado más iluminado y humano. Estas personas deben cuidar su salud para proteger su sano juicio. Pueden ser también unilaterales en su visión de la vida y caer en la misantropía.

En la parte superior de la oreja, bajo el borde circulatorio, hay un promontorio cuyo borde horizontal hace una curva al continuar hacia abajo, de forma paralela al borde y en dirección hacia el lóbulo. La sección horizontal de este promontorio limita el tercio superior de la oreja, que representa el sistema nervioso. Un promontorio bien desarrollado revela un sistema nervioso fuerte y una mente aguda. Una persona con esta parte así tiene buena capacidad para estudiar y aprender.

A veces ese promontorio superior tiene en su interior una elevación que pasa por el medio en ángulo. Esta prominencia tiene el aspecto de una pequeña cadena montañosa dentro del tercio superior visible de la oreja. Esa línea revela a una persona con capacidades intelectuales muy pronunciadas. Es una persona perspicaz, que piensa, analiza y penetra profundamente en las cosas. No se toma las cosas según las apariencias sino que explora sus profundidades. Sin embargo, una persona así puede ser fría y excesivamente crítica. Necesita desarrollar flexibilidad y tolerancia.

Finalmente, en el centro de la oreja hay otra cadena elevada, que va desde el borde hasta el conducto auditivo. Si usamos nuestro modelo «lo micro indica lo macro», descubrimos que esta elevación de la oreja en forma de feto corresponde al lugar donde está el sistema digestivo del feto, e indica la fuerza del sistema digestivo.

En muchas personas esta prominencia es baja e indistinta, lo que revela intestinos débiles. Cuando la elevación es nítida y bien desarrollada, los intestinos son naturalmente fuertes y la persona posee «estómago» o valor. Esta persona tiene capacidad de digerir la vida, es decir, experimentar muchas cosas de la vida y comprenderla.

A continuación miremos el tamaño de la oreja: cuanto más grande, mejor. Una oreja grande indica riñones fuertes y gran comprensión de la vida. Esto es particularmente cierto si tanto la oreja como el lóbulo son grandes. Una persona con un lóbulo grande tiene gran cantidad de buena suerte acumulada. Tiene una amplia comprensión de la vida. Estas personas también poseen un marcado grado de flexibilidad de mente y acto. Tienden a profesiones relacionadas con personas: artes, leyes, filantropía, empresas relacionadas con público, y ciencias que benefician directamente a las personas, como la medicina.

Las personas que no tienen lóbulos, o los tienen «pegados», tienen una visión más estrecha de la vida. Tienden a sentirse atraídas por las profesiones técnicas: contabilidad e informática, por ejemplo. Si tienen una profesión científica, prefieren el trabajo solitario del laboratorio, para trabajar en los temas más técnicos u ocultos de la ciencia. Sin embargo, de

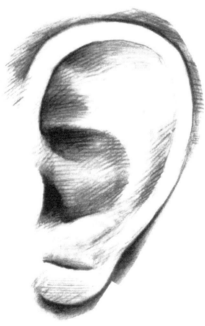

Arruga horizontal en el lóbulo:
problema diabético.

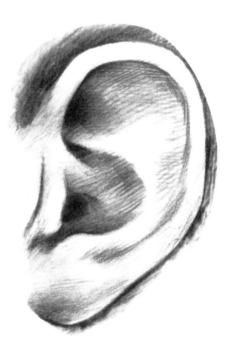

Arruga vertical en el trago: problema
cardiaco, presión arterial alta.

vez en cuando se ven personas con lóbulos pequeños que son actores, escritores o médicos. Estas personas pueden ser excelentes en su trabajo y poseen mucho talento, pero tienden a estar singularmente concentradas y tienen una ambición imperiosa que las lleva a excluir otros aspectos de su vida. Consecuentemente, tienen muchos altibajos emocionales. Experimentan muchas sorpresas en su relación con los demás, debidas en gran parte a que no entienden tan bien a los demás como las personas que tienen orejas y lóbulos más grandes.

El zumbido o campanilleo en los oídos es un problema común en la actualidad. La causa oculta puede estar en los riñones.

Las arrugas profundas delante del trago revelan trastornos del intestino delgado y del corazón. Las arrugas o surcos en el lóbulo mismo revelan una propensión a la diabetes.

La diagnosis oriental considera los riñones la fuente de nutrición para el sistema reproductor. Proporcionan ki a los órganos sexuales, ayudándolos a mantener un funcionamiento sano.

De la misma manera, los riñones proporcionan ki para mantener todos los huesos del cuerpo. Todos los trastornos de huesos se consideran problemas relacionados con los riñones. Y dado que es en las orejas donde podemos «leer» los riñones, es importante prestarles atención para comprender su estado.

EVOLUCIÓN DE LA CARA HUMANA

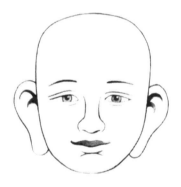

Nuestros antepasados espirituales tenían rostros hermosos y bien equilibrados.

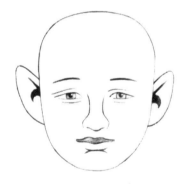

Pero actualmente estamos inundados de información, que nos llega de todo el mundo por teléfono, satélite, ordenadores y fax. El tratar de atender a todo esto nos pone nerviosos y nuestras orejas se están poniendo cada vez más puntiagudas por el esfuerzo.

Cuanto mayor es el consumo de carne, más arrugas aparecen entre las cejas debido al estrés, la ira y la agresividad, arrugas que también se están haciendo puntiagudas, debido a la frustracion. Curiosamente, algunas personas se depilan las cejas para hacer aún más fea su cara

El mayor consumo de carne y proteínas de origen animal hace crecer los dientes caninos.

Bajo los ojos se forman bolsas a consecuencia de un estilo de vida que no está en armonía con el Universo: salidas de noche, exceso de trabajo, temor, tabaco, estrés.

El consumo de drogas, fármacos, alcohol y azúcar conduce a una vida desequilibrada, y los ojos se vuelven sanpaku. ¿En qué se ha convertido la cara de la civilización? ¡Se ha convertido en una cara demoníaca! Pensemos en la cara del futuro.

3

Diagnosis de los meridianos y las Cinco Transformaciones

CADA UNO DE NOSOTROS ha experimentado, en una u otra ocasión, un misterioso dolor en alguna parte del cuerpo, para el cual no tenemos explicación. No tenemos la menor idea de cómo se originó el dolor, por qué eligió ese determinado lugar del cuerpo ni de cómo tratarlo, a no ser que sea tomando algún tipo de analgésico. Hay otros síntomas que vienen y van sin que tampoco los entendamos. Una erupción, o sarpullidos, por ejemplo, pueden aparecer en el dedo pulgar, en la pierna o en el brazo. ¿Por qué en ese lugar?, se pregunta uno. ¿Qué ha hecho que el cuerpo ponga esos sarpullidos allí? ¿Aparecen arbitrariamente estas cosas, o el cuerpo tiene una razón para colocar síntomas donde los coloca?

Cuando nos hacemos estas preguntas, nos conviene tener presente el hecho de que el cuerpo humano es el organismo más eficiente y maravilloso que existe sobre la Tierra. No hace nada sin tener una causa. Nuestro reto es comprender la causa. Con demasiada frecuencia descartamos los actos del cuerpo porque no entendemos cómo funciona.

La diagnosis oriental es la práctica de entender cómo funciona el cuerpo en un plano muy profundo. Un sarpullido en la mano o un dolor misterioso en la corva revela mucho acerca de lo que está ocurriendo internamente. Cada uno dice algo sobre nuestro comportamiento o nuestra manera de pensar. La clave para interpretar estos síntomas misteriosos es aprender cómo y por dónde circula la energía en el cuerpo. Esta es la comprensión de la diagnosis de los meridianos, otra clave más para leer el cuerpo.

MERIDIANOS DE ACUPUNTURA: LAS RUTAS DEL KI

Consideremos una vez más las fuerzas del cielo y la Tierra. El cielo hace llover energía electromagnética sobre la Tierra en forma de rayos solares y otras radiaciones planetarias y estelares. Mientras tanto, la Tierra está rodeada por energía electromagnética generada por sus polos norte y sur. En esencia, nuestro entorno, el aire mismo que respiramos, está cargado de energía: fuerza vital.

Estamos sobre la Tierra y actuamos a modo de antena para las fuerzas electromagnéticas del cielo y la Tierra, los cuales cargan nuestro cuerpo desde arriba y desde abajo. Como ya dije en el primer capítulo, esta energía electromagnética que inunda nuestro cuerpo se llama ki en Japón. En China se llama *chi*, y en India, *prana*. Esta energía es esencialmente la fuerza vital que nos anima a cada uno.

El ki circula por nuestro cuerpo por doce rutas distintas o meridianos. Cada meridiano es como un río de energía «que se origina en un lugar concreto del cuerpo y sube o baja (depende del meridiano) hacia otro lugar. Estos doce ríos de ki llevan fuerza vital a cada célula del cuerpo. Cuando el río está obstruido, la fuerza vital no puede llegar a una determinada zona del cuerpo y entonces las células, los tejidos y los órganos se asfixian por falta de ki; la consecuencia es algún tipo de síntoma.

En las primeras fases el síntoma es pequeño o leve: un sarpullido, una molestia o un dolor machacón. Estos síntomas menores son la manera que tiene el cuerpo de decirnos que algo no va bien; la fuerza vital sustenta al sistema inmunitario para que destruya las bacterias o virus que tocan nuestra piel, como son las substancias patógenas que entran en nuestro organismo cuando respiramos. Pero cuando la fuerza vital está débil, las células inmunitarias son incapaces de enfrentarse a las enfermedades fuertes y, por consiguiente, las substancias patógenas no tienen ningún problema para establecerse en el cuerpo. La consecuencia es la enfermedad, de una u otra clase. El problema suele persistir e incluso empeorar. Comienza una degeneración grave. Las células y los tejidos se deterioran y finalmente mueren, y los síntomas se hacen cada vez más graves: atrofia muscular, enfermedad cardiaca, apoplejía, diabetes o cáncer.

Pensemos nuevamente en un meridiano como en un río. Cuando hay una presa, el agua deja de fluir y una parte del río se inunda mientras la otra se seca. Cuando un meridiano está obstruido, una parte del cuerpo recibe demasiado ki mientras que otra parte recibe demasiado poco. El desequilibrio resultante hace superactivo a un órgano, mientras que otro se aletarga o se cansa con facilidad.

A veces la persona tiene dolor en una zona concreta del cuerpo. No sabe por qué tiene el dolor ni por qué lo siente en ese lugar determinado. Al saber por dónde circulan los meridianos, podemos indicar con precisión cuál meridiano u órgano es el afectado y entonces decidir la mejor manera de ayudar a esa persona a superar el problema.

Primero vamos a ver los meridianos en cuanto fenómenos relacionados con determinados órganos y funciones. Más adelante, en este mismo capítulo, vamos a examinar los meridianos desde el punto de vista de su importancia psicológica y espiritual.

A continuación presento un resumen de los doce meridianos. Tenga presente que son bilaterales, es decir, hay dos meridianos idénticos, uno a cada lado del cuerpo.

El meridiano del pulmón discurre por el lado interior del brazo, a partir de un punto situado en el pecho, encima de la clavícula, hasta el pulgar (véase ilustración). Los síntomas a lo largo de este meridiano sugieren posibles problemas en los pulmones. Estos síntomas pueden ser decoloración de la piel, sarpullidos, infección, lunar o mancha. (En el capítulo 9 encontrará ejercicios específicos y consejos dietéticos para los diversos meridianos.)

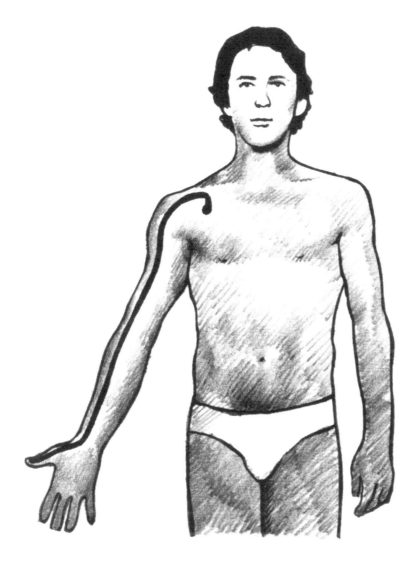

Meridiano del pulmón.

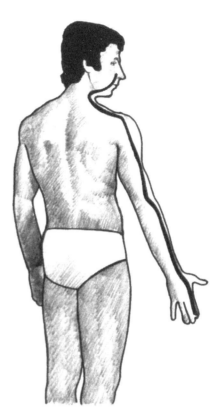

Meridiano del intestino grueso.

El meridiano del intestino grueso discurre por el lado exterior del brazo, a partir de la punta del dedo índice, y después continúa por el hombro, garganta, cuello, pasa por el exterior de la boca y llega hasta el pliegue de la nariz. Cualquier síntoma a lo largo de este meridiano indica un problema de eliminación y de respiración.

El meridiano del riñón nace en un punto situado en la planta del pie, sigue hacia el talón y sube por el interior de la pierna, pasando por los órganos sexuales, el centro del vientre hasta llegar a un punto situado donde la clavícula se une al esternón.

Los riñones limpian de impurezas la sangre y contribuyen a eliminar los desechos por la orina. Sin embargo, como ya he dicho en el capítulo 2, el papel del riñón abarca mucho más que esta importante función biológica. Los riñones envían ki a todo el cuerpo. También ofrecen orientación espiritual a nuestra vida infundiéndole los dones de nuestros antepasados, es decir, nuestros talentos, oportunidades y retos. Nuestra energía vital, o ki, procede de los riñones. Es esencial, por consiguiente, el cuidado de estos órganos vitales.

El meridiano del bazo nace en el lado exterior del dedo gordo del pie, sigue por el interior del pie, sube hasta la rodilla a lo largo de la espinilla, continúa por el interior del muslo hasta la zona del vientre y después sube en ángulo hasta un lado de la axila. Desde allí hace una curva bajo el brazo y sigue por el costado de la espalda. Tiene que ver con la reproducción y la digestión.

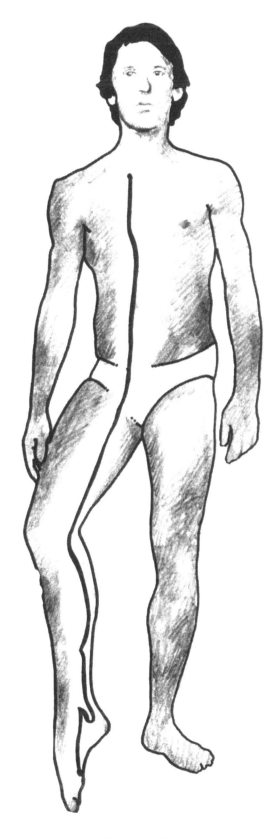

Meridiano del riñón.

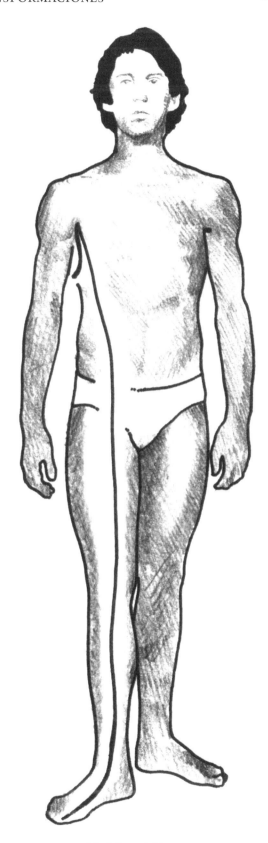

Meridiano del bazo.

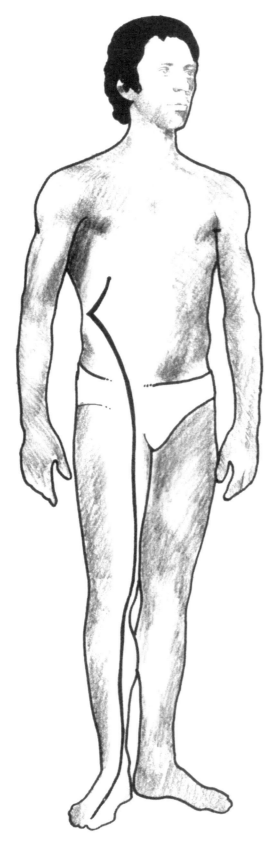

Meridiano del hígado.

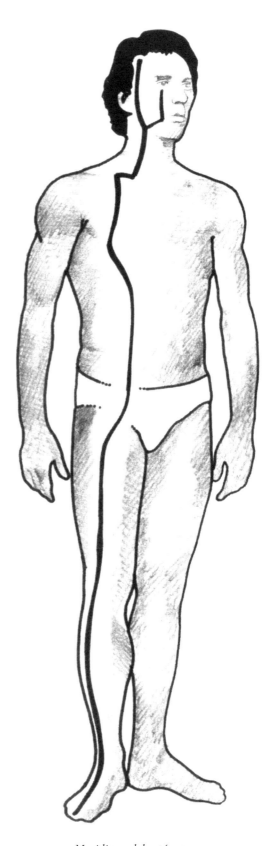

Meridiano del estómago.

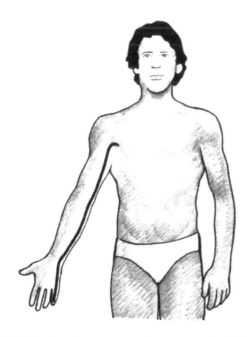

Meridiano del corazón.

El meridiano del hígado discurre por el empeine desde la parte superior del dedo gordo del pie, sube por la parte interior de la pantorrilla, muslo e ingle, siguiendo por la parte lateral del abdomen hasta un punto situado en la base de la caja torácica (debajo del hígado), desde donde sigue hasta un punto situado entre la sexta y la séptima costillas, directamente bajo la tetilla o pezón. Está relacionado con el almacenamiento de elementos nutritivos y energía.

El meridiano del estómago forma una gran U a cada lado de la cara antes de bajar por el pecho, muslo y pantorrilla hasta un punto situado sobre el segundo dedo del pie. El canal interior de la U discurre desde debajo del ojo hacia la comisura de la boca y desde allí hasta el hueso maxilar. El canal exterior de la U baja desde el cuero cabelludo hacia la oreja y cara (donde los hombres se dejan patillas) hasta el hueso maxilar, donde se une al otro canal. Desde allí, el meridiano continúa por el cuello, pasa por la clavícula y baja directamente por la tetilla o pezón hacia el abdomen, sigue por la ingle, baja por el muslo y pantorrilla hasta el segundo dedo del pie. El meridiano del estómago está relacionado con el apetito y el consumo de alimentos.

El meridiano del corazón discurre por el interior del brazo, desde la axila hasta el lado interior de la muñeca, y continúa hasta un punto situado en el interior del dedo meñique por encima de la uña. Este meridiano lleva ki al corazón y ayuda en la circulación.

El meridiano del intestino delgado nace en el dorso del dedo meñique, encima de la uña, sube por el lado exterior del brazo, continúa a lo largo del tríceps, llega hasta un punto situado en el centro del omóplato y de allí sube por el cuello hasta un punto situado directamente delante del conducto auditivo. Este meridiano está relacionado con la asimilación de los elementos nutritivos.

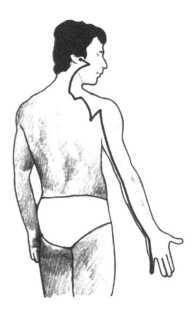

Meridiano del intestino delgado.

El meridiano de la vejiga sube por la frente desde el ángulo interior del ojo, continúa por la parte superior de la cabeza y baja hasta el centro de la nuca. Allí se divide en dos líneas paralelas que, sumadas a las otras dos que bajan por el otro lado, forman cuatro meridianos. Cada par baja por la espalda, las nalgas y la parte posterior de cada pierna. Cada par de meridianos se une en la corva formando un solo canal que continúa por la parte posterior de la pierna. Desde la corva, el meridiano de la vejiga baja a lo largo de la pantorrilla hasta la parte posterior del tobillo y de allí continúa por el lado exterior del pie hasta el dedo meñique. Está relacionado con la eliminación.

El meridiano de la vesícula biliar nace en la sien, baja por el lado exterior de la oreja llegando hasta el lateral de la nuca y vuelve a subir por el lado de la cabeza hasta encima de la sien, y vuelve a bajar hasta el cuello. Esta subida y bajada crea una forma delgada de media luna en creciente (véase ilustración). Desde allí pasa por delante del hombro, baja por el lateral del abdomen hasta la cadera en movimiento de zigzag, y de allí continúa por el lado exterior de la pierna hasta el cuarto dedo del pie. Este meridiano se ocupa de la distribución de la energía.

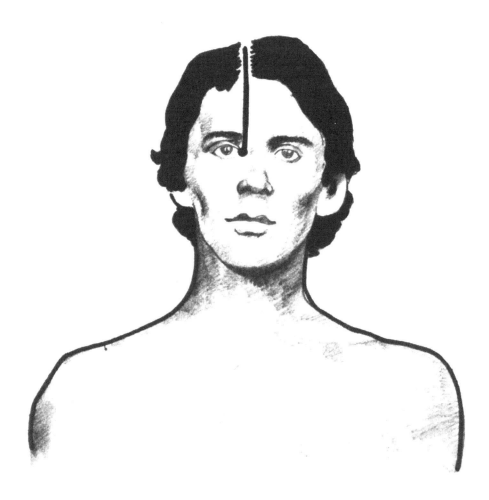

Meridiano de la vejiga.

Además de estos diez meridianos, hay otros dos cuya principal finalidad es unificar los sistemas y funciones del interior del cuerpo.

El meridiano del constrictor del corazón discurre por el medio de la parte interior del brazo, desde la axila, pasando por el medio de la palma de la mano hasta llegar a la punta del dedo medio. Este meridiano asiste el ritmo cardiaco, la circulación y la asimilación de los elementos nutritivos. También proporciona ki, ayuda a la irrigación sanguínea del pericardio y colabora en el funcionamiento del corazón.

El meridiano del triple calentador nace en el dorso del dedo anular, sube por el brazo hasta el hombro, sigue por el cuello y da la vuelta por la parte superior de la oreja hasta llegar a la sien. El meridiano del triple calentador provee de ki al meridiano del intestino delgado y al sistema linfático y asiste la circulación sanguínea en las extremidades. El triple calentador también coordina los tres sistemas calentadores que mantienen la temperatura corporal. Uno está situado encima del plexo solar, el segundo entre el plexo solar y el ombligo, y el tercero por debajo del ombligo.

Una vez que se han comprendido los meridianos, se puede saber por qué el cuerpo manifiesta un síntoma en un lugar determinado y la mejor manera de curarlo.

La comprensión total de la diagnosis de los meridianos tiene por objeto demostrar que los seres humanos estamos íntimamente conectados con el Universo como un todo. Somos uno con él. El Universo está lleno de una energía invisible, el ki, que une todos los fenómenos. Al mismo tiempo, todo evoluciona según un plan ordenado que está gobernado por este gran espíritu que es el Universo. El Universo es una unidad, un cuerpo integrado, con el cual estamos unidos. En las culturas tradicionales y espirituales, la gente siempre ha sostenido que los seres humanos tenemos la capacidad única de percibir y experimentar esta unión con este todo. A eso lo llamamos iluminación. La iluminación es ese estado de la conciencia en el cual reconocemos que ya no estamos separados de nada en el Universo, es decir, cada persona comprende que ella es el Universo.

Incluso sin estar verdaderamente iluminados, podemos usar esa conciencia, es decir, nuestra unidad con el Universo, para curarnos y para encontrar respuestas a nuestros interrogantes más fundamentales. En la diagnosis oriental examinamos el cuerpo desde esta perspectiva iluminada. No hay nada al azar en una arruga en la cara o un dolor en la mano izquierda. Es un síntoma que tiene relación con todo el cuerpo y con una parte concreta.

La energía no se limita a caer desde el cielo o a ascender desde la Tierra en torrentes por el cuerpo, sino que está canalizada de una manera ordenada por esta increíble máquina. Hay un patrón por el cual el cuerpo canaliza la energía a través de todas sus fibras. Ese patrón ordenado se conoce bajo el nombre de los Cinco Elementos o las Cinco Transformaciones.

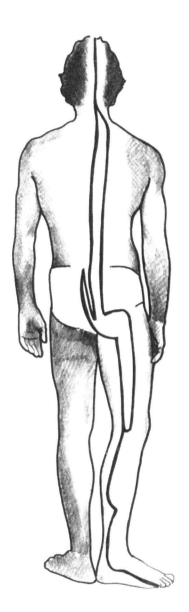

Meridiano de la vejiga.

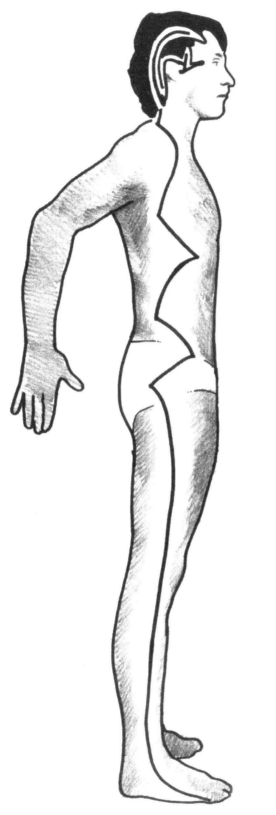

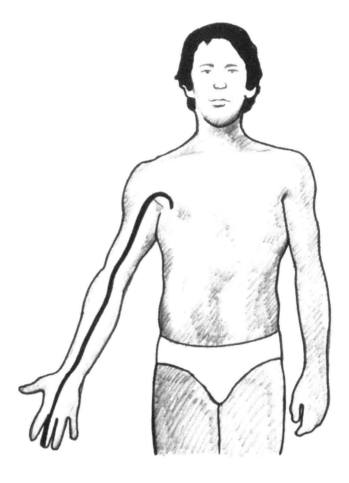

Meridiano del constrictor del corazón.

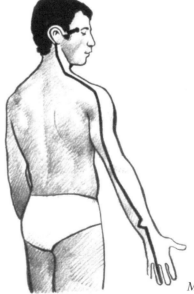

Meridiano de la vesícula biliar.

Meridiano del triple calentador.

LOS CINCO ELEMENTOS
O LAS CINCO TRANSFORMACIONES

Hace más de dos mil años los sabios chinos formularon una teoría con la cual pretendían explicar las fases del cambio. Estos antiguos filósofos comenzaron con la premisa de que el cambio ocurre de una manera ordenada y previsible. Observaron la naturaleza y vieron que las estaciones se sucedían en un ciclo ordenado; que el crecimiento y desarrollo de los seres humanos también tenía lugar de una forma orgánica y ordenada, es decir, desde la infancia a la pubertad, a la adolescencia, a la edad adulta y a la vejez.

La psicología personal también parecía seguir patrones constantes. Una idea evoluciona pasando por ciertas fases claras en el camino a convertirse en una realidad. El cambio no es algo que se produzca al azar, dijeron los sabios antiguos, sino un proceso ordenado, una evolución. Los chinos formularon la teoría del cambio y la llamaron Cinco Elementos, o Cinco Transformaciones.

Igual que la mayor parte del pensamiento oriental, las Cinco Transformaciones reflejan la capacidad china para clasificar los fenómenos y al mismo tiempo mantenerse flexibles. La teoría se ha aplicado a la curación, la psicología personal, la agricultura, la economía y la política. Se ha empleado para tratar la enfermedad, pronosticar el tiempo y adivinar la suerte personal. En resumen, es una cosmología, un intento por entender la vida y el Universo.

En su forma más abstracta, la teoría de las Cinco Transformaciones postula que todo cambio ocurre en cinco fases. Cada fase está asociado con un determinado elemento de la naturaleza: fuego, tierra, metal, agua o madera.

El proceso comienza con la inspiración original, el mundo de las ideas. En esa fase la cosa en cuestión es aún amorfa, plástica, y sin embargo posee la energía necesaria para inspirar la acción. Los sabios buscaron una analogía en la naturaleza y encontraron el fuego que, aunque muy amorfo, posee sin embargo una gran energía que inspira el cambio. Desde el estado de fuego, el ciclo avanza hacia un estado más sólido, más asentado, en el cual la idea comienza a tomar forma como realidad perceptible. Esa fase se llama tierra, y a partir de ella el proceso avanza hacia su forma más densa y material, el metal. El estado metálico sugiere la mayor condensación o «yangización» del proceso, en la cual la idea arraiga firmemente en el mundo material. La cosa en cuestión nace. Es real.

Desde la fase del metal, el proceso continúa hacia el agua, su estadio más flexible y perdurable. El agua significa la continuidad del cambio hacia un objetivo concreto, porque el agua siempre está fluyendo hacia el mar. Desde la fase del agua, el proceso evolutivo entra en la fase de la madera, en la cual vemos los frutos del sueño. Aquí la inspiración original ha pasado su desarrollo necesario para producir recompensas. Madera significa la culminación del ciclo, porque la madera no sólo da frutos sino que también fertiliza el suelo con sus hojas, semillas y frutos no consumidos, para enriquecer el suelo y comenzar nuevamente el proceso de regeneración.

Si hubiéramos de aplicar la teoría de las Cinco Transformaciones a los negocios, a una zapatería por ejemplo, diríamos que la fase del fuego es el momento en que la idea seminal surge en la mente del futuro propietario o propietaria. Ese es el momento de la inspiración original, el momento de gran entusiasmo que surge con el nacimiento de una nueva idea. La fase de la tierra marca el estadio en que el propietario hace los planes para su negocio y toma medidas para la financiación. Ya ha llevado su idea desde el dominio de lo abstracto al dominio práctico o terrenal. La fase del metal es la apertura de las puertas al público. La idea ya es realidad en todas sus dimensiones; la persona ya está vendiendo zapatos. La fase del agua significa el proceso diario de llevar el negocio, de seguir con el negocio y tratar con el público, hazaña que requiere gran flexibilidad (la flexibilidad del agua), aguante e ingenio. El propietario o la propietaria de la zapatería debe ahora perseverar mientras mantiene su vista en el objetivo original, a saber, el éxito del negocio.

La fase de la madera trae ese éxito, es la fase en la cual la empresa da frutos. La zapatería no sólo no está en números rojos sino que está generando dinero más que suficiente para el propietario, sus empleados y la comunidad. De la fase de la madera, el ciclo continúa con la de fuego, el nacimiento de una nueva idea y con ella un nuevo ciclo de cambio.

Si bien los Cinco Elementos o las Cinco Transformaciones tienen tradicionalmente una amplia aplicación, ceñiré el análisis a la salud y al desarrollo de la personalidad.

Por lo que respecta a la salud, las Cinco Transformaciones revelan el modo como la energía se mueve por el cuerpo, nutriendo a cada sistema orgánico de una manera ordenada y metódica. Porque el cuerpo se puede entender como un sistema de circuitos integrados en el cual el ki o fuerza vital circula continuamente por el organismo según un patrón ordenado. La salud es el estado en el cual el ki fluye sin impedimentos por el organismo, nutriendo así cada órgano y cada célula del cuerpo.

El esquema es el mismo: fuego, tierra, metal, agua y madera. Por lo que respecta a la salud física, cada elemento está asociado con un grupo de órganos, los cuales, a su vez, se nutren mutuamente y forman un todo integrado. Las cinco fases y sus sistemas orgánicos relacionados son los siguientes:

Fuego: El corazón, el sistema circulatorio y el intestino delgado. El corazón y el intestino delgado están unidos, y en la medicina oriental se consideran sistemas orgánicos relacionados. Se considera que se nutren mutuamente. El corazón es el órgano contraído, o yang, mientras que el intestino delgado es el órgano expandido, o yin. Mientras se nutren mutuamente también pasan la energía a la fase tierra. Por este motivo decimos que los órganos fuego son la madre de los órganos tierra, porque les proporcionan fuerza vital.

Tierra: El estómago, el bazo y el páncreas. Los órganos tierra son la madre de los órganos metal.

Metal: Los pulmones y el intestino grueso. Los órganos metal son la madre de los órganos agua.

Agua: Los riñones y la vejiga. Los órganos agua son la madre de los órganos madera.

Madera: El hígado y la vesícula biliar. Los órganos madera son la madre de los órganos fuego, es decir, el corazón, el sistema circulatorio y el intestino delgado. Con esto se completa el ciclo, que no se cierra sino que continúa.

Si todos los elementos están trabajando de manera óptima, no aparece ningún síntoma y la salud es óptima. Si, por otro lado, una o más fases están obstruyendo la energía, el sistema orgánico correspondiente va a sufrir. En consecuencia, aquellas personas que dañan su hígado suelen sufrir problemas cardiacos y del intestino delgado, mientras que aquellas que dañan su bazo, estómago y páncreas también sufren enfermedades del intestino grueso y pulmones.

Al mirar el cuerpo según las Cinco Transformaciones, podemos ver fácilmente la armonía dentro de los sistemas humanos y conocer la importancia de cada órgano para el cuerpo en cuanto un todo.

Por ejemplo, lo normal sería decir que la digestión la realizan el estómago y los intestinos, pero según las Cinco Transformaciones, la digestión depende absolutamente del sano funcionamiento del bazo.

Sabemos que, desde el punto de vista biológico, el bazo filtra y elimina de la sangre las células dañadas y muertas y le aporta células inmunitarias, como los linfocitos y otros glóbulos blancos. En la medicina occidental, el bazo no se considera esencial para la vida y suele extirparse quirúrgicamente, como en el caso de ciertos cánceres y otros trastornos.

La medicina oriental, en cambio, considera el bazo uno de los órganos más importantes y esenciales para el funcionamiento ordenado de la vida. La energía del bazo, es decir el ki emanado del bazo, rige el movimiento del alimento durante la digestión. La energía del bazo ayuda a transportar el alimento por el intestino. Mientras hace esto también ayuda al intestino delgado a convertir la esencia del alimento, es decir los nutrientes esenciales, en sangre y ki. El bazo envía ki a los pulmones y al intestino grueso. De esa manera nutre estos órganos con fuerza vital, haciendo posible la respiración y la eliminación de los desechos.

La energía debe emanar libremente desde el bazo para nutrir de forma adecuada los pulmones y el intestino grueso. Esta energía del bazo es necesaria para crear la peristalsis y hacer avanzar los desechos por el intestino hasta salir del cuerpo.

Usted podría decirse: «Pero yo pensaba que el intestino hace eso solo». Si mirara estrictamente el intestino, podría tener razón, pero el grado de capacidad del intestino para realizar la peristalsis depende de la energía que recibe del bazo.

Normalmente, si el bazo tiene problemas, habrá exceso de gases, acidez estomacal o algún otro problema digestivo, como la acedía, por ejemplo.

Si hay problemas de digestión, por lo tanto, hemos de tratar el tracto intestinal y también el elemento tierra. La energía del bazo necesita que en el cuerpo haya un ambiente alcalino. Cuanto más ácida está la sangre, más sufre el bazo. Por lo tanto, para la salud del bazo es esencial masticar bien los alimentos, ya que la saliva es una substancia alcalina. Cuanto menos se mastica, menos saliva impregna los alimentos y peor es la salud del bazo. (En el capítulo 9 encontrará ejercicios específicos y consejos dietéticos para los diversos meridianos y sistemas orgánicos.)

Según la medicina oriental, la energía del bazo también rige la sangre. Cuando hay hemorragia del útero o cualquier otro problema con pérdida de sangre, la medicina oriental recomienda tratar el bazo, porque el bazo contiene y canaliza la sangre por el cuerpo. Si la energía del bazo es débil, la sangre se saldrá de sus capilares produciendo hemorragia en alguna parte blanda del cuerpo.

Si el bazo, el estómago y el páncreas son estimulados excesivamente durante un tiempo, finalmente se debilitarán tanto que serán incapaces de hacer pasar la energía a los pulmones e intestino grueso, haciendo a su vez sufrir a estos órganos.

La relación entre el bazo y el intestino grueso es esencialmente la misma que existe entre el intestino grueso y los riñones; los riñones y el hígado; el hígado y el corazón, y el corazón y el bazo. Cada uno nutre al otro con ki, haciendo posible su funcionamiento óptimo.

En este ciclo nutritivo, la energía avanza en el sentido de las manecillas del reloj, desde el elemento fuego a la tierra, al metal, al agua, a la madera y nuevamente al fuego. Este ciclo nutritivo proporciona cantidades óptimas de fuerza vital para que cada grupo de órganos funcione bien. Pero hay otro ciclo complementario llamado *ko*, o ciclo controlador, en el cual los sistemas de órganos se mantienen controlados, limitados. De esta manera, cada grupo de órganos se mantiene en equilibrio con los demás del sistema. En el ciclo controlador la energía se mueve dentro de los Cinco Elementos o las Cinco Transformaciones, circula y sirve para mantener a cada órgano dentro de los límites prescritos. Fácilmente podemos ver un corolario de esto en la naturaleza.

El agua que corre por un río tiene poder debido a dos factores: su caudal o cantidad de agua que nutre el río (esto se corresponde con el ciclo nutritivo de los Cinco Elementos o Cinco Transformaciones); y la presencia de fuertes riberas, que ofrecen límites al agua y de esta manera le dan dirección, poder y velocidad. Si la ribera cede, o si el nivel del agua supera la altura de la ribera, el agua ya no tiene el mismo poder ni orden. Simplemente inunda una zona y se asienta hasta que por último retrocede. El movimiento disminuye bruscamente y se detiene, hasta que la evaporación o la gravedad llevan al agua en otras direcciones.

Mientras se impongan límites al agua, tiene un poder tremendo para mover obstáculos o impulsar bombas hidroeléctricas para generar electricidad. El Ko, o ciclo controlador, funciona de la misma manera. El ciclo controlador equilibra el organismo manteniendo los límites de la energía que fluye hacia los sistemas de órganos. Mientras la energía circula en el sentido de las manecillas del reloj dentro del ciclo nutritivo, el ciclo controlador la hace moverse dentro del círculo de los Cinco Elementos o Cinco Transformaciones.

Concretamente el ki, o fuerza vital, se mueve dentro del ciclo controlador de la siguiente manera:

El fuego controla el metal: El funcionamiento del corazón y del intestino delgado controla o limita la energía dentro de los pulmones e intestino grueso.

La tierra controla el agua: El funcionamiento del estómago, bazo y páncreas limita o controla la energía implícita en los riñones y la vejiga.

El metal controla la madera: El funcionamiento de los pulmones y del intestino grueso controla o limita la energía que circula por el hígado y la vesícula biliar.

El agua controla el fuego: El funcionamiento de los riñones y la vejiga controla la energía implícita en el corazón y el intestino delgado.

La madera controla la tierra: El funcionamiento del hígado y la vesícula biliar controla la energía que circula por el estómago, bazo y páncreas.

El ciclo controlador es esencial para los fines de la curación. Veamos un ejemplo. En el caso de la diarrea, el elemento metal (pulmones e intestino grueso) puede estar hiperactivo. Esto suele deberse a un exceso de energía en el bazo; el cual pasa ese exceso al intestino grueso produciéndole hiperactividad. El desequilibrio del bazo puede estar causado por un consumo excesivo de dulces, o demasiados zumos de fruta o alcohol, o por alguna otra substancia yin que excita el bazo haciéndolo trabajar demasiado, a la vez que estimula excesivamente el intestino grueso. Cuando el elemento metal está hiperactivo, controla o disminuye la energía que va hacia el elemento madera, el hígado y la vesícula biliar. Entonces se reduce el funcionamiento del hígado. El corazón y el intestino delgado (elemento fuego) también se debilitan, porque el elemento fuego está nutrido por el hígado y la vesícula biliar, que no pueden pasar mucha energía al funcionamiento del corazón e intestino delgado. Esto va a provocar una variedad de problemas digestivos y mala asimilación de los elementos nutritivos. El verdadero problema está en el bazo, que deberá tratarse eliminando los alimentos y bebidas dulces, y aumentando el consumo de alimentos alcalinizantes (sopa de miso, caldo de tamari, cereales integrales bien masticados y diversas verduras). (Para orientaciones dietéticas, véase el capítulo 9.)

Otro ejemplo claro de cómo el ciclo controlador afecta a otro sistema de órganos es la relación entre los elementos agua y fuego.

Con frecuencia se consume demasiada sal, lo cual es causa de trastornos renales. El funcionamiento de los riñones y la vejiga (elemento agua) controla el funcionamiento del corazón e intestino delgado (elemento fuego). Por consiguiente, los trastornos renales, sobre todo los provocados por exceso de sal, son causa de enfermedades del elemento fuego, como enfermedades cardiacas e hipertensión. Si deseamos tratar este trastorno, hemos de tratar el elemento controlador, que en este caso es el elemento agua. Reduciendo tajantemente el consumo de sal, aceites y grasas, y aumentando el ejercicio aeróbico suave (elemento fuego), fortalecemos a la vez los elementos agua y fuego y sus correspondientes sistemas de órganos.

Para practicar la diagnosis oriental, hemos de tener conciencia de la pasmosa integración que existe en el cuerpo humano. Hemos de tener conciencia de los problemas físicos inmediatos y de sus causas, pero también de las relaciones subyacentes implicadas en las causas de un problema. Los Cinco Elementos o Cinco Transformaciones nos ofrecen la clave para esta comprensión más profunda. Por este motivo, los Cinco Elementos o Cinco Transformaciones formaron los cimientos de la medicina oriental y de muchos de sus principios filosóficos. Son la base para comprender la salud humana y, de esta forma, el cambio natural.

LA ENERGÍA KI, LA PSICOLOGÍA PERSONAL Y EL ESPÍRITU

Como he dicho anteriormente, las Cinco Transformaciones son un instrumento muy flexible que tiene una aplicación increíblemente extensa. Veamos cómo se puede aplicar a la psicología personal.

Además de las agrupaciones de órganos que acabamos de ver, cada elemento está asociado también con un estado emocional concreto. Las emociones asociadas con cada elemento son las siguientes:

Fuego: Alegría e histeria: El corazón y el intestino delgado son las fuentes internas de la alegría. Cuando el corazón está equilibrado y funciona bien, nos es más fácil experimentar alegría en nuestra vida. Cuando el corazón y el intestino delgado están funcionando mal, nos resulta difícil, y a veces imposible, encontrar alegría en la vida. Cuando los sanadores orientales se encontraban con una persona que sufría de infelicidad crónica, reconocían que en la vida de esa persona no había nada que la estimulara, nada que le ofreciera una nueva dirección. No había fuego en su vida. Por lo tanto, los sanadores le trataban el corazón, el elemento fuego.

En ocasiones, el elemento fuego puede estar excesivamente estimulado, y en ese caso experimentamos histeria: desenfrenadas demostraciones de emoción, totalmente descontroladas. Esto también indica un grave desequilibrio del elemento fuego, que hay que tenerlo en cuenta si se quiere sanar el trastorno.

Tierra: Racionalidad y simpatía, comprensión y compasión romántica. Cuando el bazo está estimulado en exceso (generalmente por exceso de azúcar y alimentos dulces) la persona suele ponerse sentimental y excesivamente compasiva, hasta el punto de debilitar a los demás. Cuando el bazo está fuerte, hay una comprensión y compasión profundas de los demás, pero no un sentimentalismo dulzón. Esta persona sabe cuándo otra necesita afectuoso apoyo y cuándo necesita cierta disciplina.

Metal: Aflicción. Todo el mundo sufre alguna vez de tristeza en la vida. Al parecer, es una parte necesaria del ser humano. Pero es importante mantener en perspectiva nuestra tristeza y aflicción y no aferrarnos a ellas si queremos llevar vidas productivas. Cuando la persona se aferra a su aflicción, generalmente hay problemas de intestino grueso. Al mejorar la salud de este órgano, mejoramos nuestra capacidad para liberarnos de las emociones innecesarias y para continuar con nuestra vida. Por lo tanto, para tratar la aflicción, trate el intestino grueso y anime a la persona a liberarse del dolor que persiste.

Agua: Sorpresa y temor. Es bastante sabido que el estrés y el temor son destructivos para los riñones y glándulas suprarrenales. El estrés o el temor crónicos pueden dañar los riñones. Cuando están débiles experimentamos más temor, nos sorprendemos con mayor facilidad, tenemos menos determinación y perdemos fuerza de voluntad. Los riñones, sede de la voluntad, nos sirven para orientarnos en la vida, sobre todo cuando nos enfrentamos a la adversidad. Por lo tanto, en épocas de dificultad y estrés, hay que proteger los riñones. Si una persona sufre de miedo crónico, le recomiendo que se trate los riñones.

Madera: Rabia. Cuando el hígado o la vesícula biliar tienen problemas o están dañados, se produce un aumento de la rabia y agresividad. También la rabia puede dañar el hígado y la vesícula. El alcohol, por ejemplo, daña el hígado y, si se consume en exceso, provoca repentinos estallidos de cólera. Basta pasar un día con una persona alcohólica para saber que las emociones dominantes son la rabia, la amargura y la furia. Las personas que sufren de rabia crónica deben tratar sus hígados.

Dado que los sistemas de órganos también se relacionan con sus respectivos meridianos, podemos combinar fácilmente las Cinco Transformaciones con la diagnosis de meridianos para llegar a una comprensión verdaderamente holista de la mente y el cuerpo.

Hasta ahora hemos hablado de los meridianos de acupuntura desde el punto de vista de la salud física. Pero hay otra forma de mirar los meridianos y los órganos, más abstracta y espiritual, pero igualmente válida y reveladora. Para comprender esta forma de diagnosis es necesario considerar que cada uno de los órganos tiene funciones físicas y funciones abstractas. Cuando digo abstracto, quiero decir espiritual.

Permítame ponerle un ejemplo general. La función del sistema digestivo es tomar alimentos del entorno, digerirlos, hacer asequibles los elementos nutritivos para la sangre y eliminar lo que es innecesario. ¡Eso es una tarea espiritual! Esencialmente significa la capacidad para obtener lo que se necesita para la vida, hacerlo asequible para uno mismo para la supervivencia y felicidad propias, y eliminar lo que no se necesita. Esto tiene un papel esencial en el bienestar físico, psicológico y espiritual. Uno podría preguntarse: «¿Cuál es mi eficiencia para obtener lo que necesito en mi vida?», «¿cuál es mi eficiencia para eliminar lo que no necesito, por ejemplo esas experiencias y hábitos que ya no sirven a mi fase de desarrollo?» Una vez contestadas estas preguntas, pregúntese cómo es de buena su digestión.

El sistema digestivo es sólo una metáfora física de una función espiritual. Todos los órganos se pueden contemplar desde este punto de vista. Cada órgano y función corporal que conforma nuestro cuerpo es sólo una manifestación física de una característica espiritual inherente al alma cuando entramos a formar parte de la Tierra en el momento de la concepción.

Tomemos el ejemplo de los riñones. Una de las principales funciones de estos órganos es filtrar las impurezas de la sangre. Los riñones son esenciales para la vida. De una manera más abstracta, podemos decir que su función es limpiar la sangre reconociendo lo que es bueno y lo que es innecesario o incluso dañino. Si los riñones no están funcionando bien, nos cuesta muchísimo distinguir entre lo bueno y lo malo en nuestra vida. En otras palabras, el mal funcionamiento de los riñones nos afecta al juicio. Permanecen en nosotros las viejas impurezas de nuestra personalidad y de nuestro entorno, incluso elementos tóxicos. No sabemos reconocerlos ni eliminarlos. Por consiguiente, nos vemos sorprendidos constantemente, e incluso conmocionados, por dilemas imprevistos. Esto nos causa temor y, en el caso extremo, paranoia. Nos sentimos víctimas de la vida, cuando en realidad somos víctimas de nuestro propio mal juicio.

Para ilustrar estos puntos a mis alumnos, suelo cubrirme con una sábana y realizar algunos ejercicios de mímica que los alumnos reconocen como funciones comunes en la vida. La sábana cubre los detalles de mi cuerpo y revela los movimientos esenciales asociado a estas funciones comunes. Por ejemplo, cubierto por la sábana, hago el gesto de coger comida y comer. Esa es la función de tomar nutrición. O hago la mímica de sentarme en la taza del váter. Esa es la función de eliminar lo que no necesito. Los alumnos se divierten y ríen muchísimo con esto, pero también comprenden que cuando trato de coger algo, la parte más activa de mi cuerpo es la de delante. Cuando trato de eliminar, la actividad mayor está en la espalda o trasero. Así pues, el meridiano del estómago (el que sirve para traernos comida) está delante, mientras que el meridiano de la vejiga (el que ayuda a eliminar los desechos) discurre por la espalda.

Les enseño que los meridianos no son simplemente canales de energía, sino fenómenos en sí mismos. Los meridianos son los lugares donde se reúne la energía para hacer funcionar correctamente al cuerpo. Una vez que está completada la función, la línea del meridiano deja de estar tan activa.

Como hemos visto anteriormente, cada órgano y cada meridiano puede tener o bien demasiada energía, *jitsu* en japonés, o bien muy poca, *kyo*. Cuando un órgano tiene demasiada energía, la actividad asociada con ese órgano es también excesiva. El órgano puede tener exceso de trabajo o la energía está atrapada allí, produciendo una obstrucción que impide que los otros órganos se nutran adecuadamente con fuerza vital. El órgano se sobrecarga de trabajo. De la misma manera, el aspecto psicológico de ese órgano también está sobrecargado.

Si el órgano está *kyo*, o con la energía agotada, estará débil, aletargado, y probablemente con sangre estancada. El aspecto psicológico es que podemos estar débiles en el aspecto de la vida relacionado con ese órgano o meridiano.

Si conozco los síntomas físicos asociados a un estómago agotado de energía, por ejemplo, le puedo preguntar a mi amigo o amiga si sufre de problemas psicológicos vinculados a ese órgano. Puedo entonces darle consejos para mejorar el estado de ese órgano concreto, el estómago, por ejemplo, lo que a su vez mejorará su estado psicológico.

Al contemplar los órganos y meridianos en su naturaleza abstracta, puedo decir mucho acerca del bienestar psicológico y espiritual de una persona.

Veamos los meridianos individuales desde el punto de vista de sus significados psicológico y espiritual.

(Véase el capítulo 9 para los remedios para cada uno de los problemas presentados a continuación.)

El meridiano del pulmón

Los pulmones limpian la sangre infundiéndole oxígeno y eliminando de ella el dióxido de carbono. En la medicina oriental decimos que la inspiración de oxígeno es la toma de ki o fuerza vital. Si retenemos la respiración, tenemos una demostración rápida de cuánto dependemos del oxígeno y de los pulmones. Si contemplamos esto de una manera abstracta o espiritual, podemos decir que los pulmones inspiran vida. Por lo tanto, cuando los pulmones no funcionan bien, nuestra capacidad para inspirar vida está disminuida. Esto tiene efectos físicos y psicológicos muy amplios.

Cuando la energía de los pulmones está agotada, o kyo

Las personas cuya energía del pulmón está agotada tienen dificultad para eliminar el dióxido de carbono. Por consiguiente, la sangre está mal oxigenada y el dióxido de carbono permanece en ella, donde forma un buen caldo de cultivo para resfriados, virus y microorganismos. En consecuencia, las personas que tienen problemas pulmonares son muy propensas a los resfriados.

Al respirar también se elimina la tensión. Cuando hay dificultades para respirar, la tensión se acumula sobre todo en los hombros.

Cuando la energía del pulmón está agotada, las personas son propensas a tener sobrepeso. Tienen sensación de pesadez en la cabeza, debido a la mala circulación y a la falta de oxígeno; sufren de congestión y tos. Cuando los pulmones están agotados, la congestión es crónica. No hay suficiente energía en los pulmones para eliminar la obstrucción subyacente. La tos es seca y no saca mucha mucosidad.

Los síntomas psicológicos asociados con el agotamiento de la energía de los pulmones son ansiedad, pérdida de agudeza mental, depresión e hipersensibilidad. La dificultad para respirar o falta de aliento tiende a causar desequilibrios emocionales, incluso histeria.

Cuando la energía de los pulmones es excesiva, o jitsu

La tos fuerte que saca mucosidad es generalmente un signo de exceso de energía atrapada en los pulmones. Con frecuencia la tos de una persona fumadora, sobre todo si es fuerte y sana en los demás aspectos, proviene de un exceso de energía en los pulmones. Una persona que tiene ese tipo de tos sufre también de congestión nasal. Tiene propensión a la bronquitis o al asma. Los músculos pectorales suelen estar tensos, sobre todo los que rodean el meridiano del pulmón.

Las personas que tienen demasiada energía en el pulmón pueden obsesionarse y angustiarse por minucias. Tienen problemas para liberar la energía reprimida. Suspiran muchísimo, a veces en un intento de relajar la tensión de los pulmones. Se sienten oprimidas y tienen dificultad para expresar físicamente el amor. También son algo aprensivas.

El meridiano del intestino grueso

Las principales funciones del intestino grueso son eliminar los desechos y absorber agua y algunos elementos nutritivos (el intestino delgado es el principal órgano de absorción). Como dije antes, cuando hablábamos de los Cinco Elementos o Cinco Transformaciones, el intestino grueso tiene una relación complementaria con los pulmones. Los problemas en el intestino grueso suelen afectar a los pulmones y a los senos nasales.

El intestino grueso y los pulmones son los órganos asociados con las emociones de dolor y con la aflicción. Si el funcionamiento del intestino grueso y de los pulmones no es sano, la persona tenderá a aferrarse a la aflicción y la tristeza, y a las experiencias relacionadas con estas emociones.

Cuando la energía del intestino grueso está agotada, o kyo

Cuando está agotada la energía del intestino grueso, por lo general tenemos estreñimiento, congestión de los conductos nasales y de los bronquios. Las personas que tienen débil el intestino grueso suelen sufrir de diarrea cuando comen alimentos fibrosos o bastos. Estas personas también sufren de frío en la zona del abdomen.

En todo el mundo se relaciona el valor con la expresión de tener «redaños».* Tener redaños significa tener la determinación y voluntad para pasar por las dificultades y superarlas. Un intestino grueso débil hace perder la determinación y el valor. La persona suele sentirse decepcionada y dependiente, y finalmente puede sucumbir a la desesperación y amargura.

Cuando la energía del intestino grueso es excesiva, o jitsu

Demasiada energía en el intestino grueso puede producir dolores de cabeza, moqueo, congestión nasal, hemorragia nasal, amigdalitis, dolor de encías y dientes, palidez de la piel, ojos blanquecinos, dolor en los hombros, opresión en el pecho, estreñimiento alternado con diarrea, tos, hemorroides y los síntomas de resfriado común. Los problemas del intestino grueso afectan directamente al funcionamiento de los pulmones, bronquios y conductos nasales. El motivo es que la energía excesiva atrapada en el intestino grueso sube cuando no puede ser eliminada por abajo. El cuerpo trata de remediar la situación y restablecer el equilibrio enviando la energía a los órganos de arriba, de allí los síntomas en los pulmones, garganta y nariz.

El problema psicológico asociado con el exceso de energía en el intestino grueso es una insatisfacción continua. La persona es incapaz de apreciar nada, ni a sí misma, ni el trabajo, ni a sus padres ni amigos. Finalmente, incapaz de apreciar los puntos buenos de nadie, en especial los propios, la persona se siente aislada y sin amigos.

El motivo es sencillo: el intestino grueso dedica demasiado tiempo y energía a trabajar con los desechos del cuerpo. Cuando su energía es excesiva, no puede descansar. Se obsesiona en su trabajo de clasificar lo que es esencialmente desechos: las heces. El efecto psicológico en la persona es que dedica demasiada energía a mezquindades y resentimientos, y a recuerdos negativos o inútiles. La persona dedica demasiada atención y energía a lo que debería pasarse por alto u olvidarse.

---

* La expresión en inglés es *to have guts*: «tener agallas, valor». *Gut* significa intestino, tripa; *guts* significa tripas, valor, aguante. La expresión más parecida en castellano, aunque no la más popular, es «tener redaños». *(N. de la T.)*

El meridiano del riñón

Como ya vimos anteriormente, los riñones purifican la sangre. Lo mismo hacen las glándulas suprarrenales situadas sobre los riñones, las cuales fabrican la adrenalina, qué es la hormona responsable de la reacción instantánea ante las crisis.

En medicina oriental decimos que los riñones controlan el miedo y el valor. También albergan los dones espirituales y el karma acumulado en encarnaciones anteriores y heredados de nuestros antepasados. Por lo tanto, los riñones están considerados entre los más importantes de todos los órganos.

Cuando la energía de los riñones está agotada, o kyo

La piel de la persona cuya energía del riñón es débil suele tener un color castaño y carece de elasticidad. Estas personas tienen mala circulación, sobre todo en las caderas y el hara,* micciones frecuentes, y dolor en la parte baja de la espalda. Los riñones rigen los órganos sexuales, por lo cual influyen en el equilibrio hormonal. Cuando la energía de los riñones está agotada, el impulso sexual también es débil. Las personas que tienen debilitada la energía de los riñones tienen dificultad para dormir profundamente. Los riñones también influyen en la salud de los huesos; los riñones débiles conducen a enfermedades de los huesos, entre otras la osteoporosis y fracturas. Estas personas suelen ser propensas a sufrir accidentes.

Los riñones también rigen los órganos asociados con la audición. Cuando la energía de los riñones es débil puede haber mala irrigación sanguínea en los oídos, pérdida de audición de las frecuencias altas y, a veces, zumbidos en los oídos.

En el aspecto psicológico, las personas cuya energía de los riñones es débil suelen sufrir de ansiedad y miedo permanentes. También sufren de falta de determinación. Normalmente tienen problemas familiares porque les falta paciencia y aguante.

Cuando la energía de los riñones es excesiva, o jitsu

Las personas que tienen demasiada energía en los riñones suelen experimentar sed crónica, zumbidos en los oídos, mala audición, opresión en la parte baja de la espalda y torso, orina oscura, un sabor amargo en la boca, mal aliento y cansancio crónico por exceso de trabajo. La piel adquiere una tonalidad oscura, sobre todo bajo los ojos.

En el aspecto psicológico, estas personas tienden a sufrir de adicción al trabajo. Son nerviosas, ambiciosas y perfeccionistas. Están motivadas por el miedo al fracaso o por la sensación de que están a punto de sufrir algún desastre.

---

* Véase capítulo 4, «Hara», págs. 129 y ss.

El meridiano del bazo

El bazo limpia la sangre de células dañadas o destruidas. Interviene en la infusión de células inmunitarias en el torrente sanguíneo. Es esencial para la correcta digestión sobre todo porque nutre al estómago y al intestino grueso con fuerza vital o ki. Las mujeres cuyo meridiano del bazo tiene una actividad débil son propensas a sufrir problemas menstruales. Los hombres con ese problema tienden a sufrir de impotencia.

Yo sostengo que las emociones asociadas al bazo son la compasión y la simpatía. Las personas que tienen el bazo débil tienden a ser excesivamente compasivas. En cambio, las que tienen el bazo equilibrado tienen una profunda compasión y comprensión de los demás, al tiempo que tratan de comprender el sentido de las dificultades de la vida.

Cuando la energía del bazo está agotada, o kyo

Cuando la energía del bazo está débil, la persona sufre de mala digestión, falta de saliva, poca capacidad para saborear la comida, acidez gástrica crónica, una tonalidad oscura en la piel de la cara, gran propensión a los resfriados, el ombligo tenso y sensible, dolor en la columna vertebral y mala circulación en los pies.

En el aspecto psicológico, posiblemente la persona se obsesiona por los detalles, tiene una ansiedad e inquietud permanentes; tal vez piensa demasiado, pasa noches en vela, lo cual le causa cansancio crónico; y tal vez sufra de frío en las extremidades y mala circulación. Tal vez sea excesivamente compasiva y preste demasiado oído a los chismes y murmuraciones, y justifique esto alegando que en realidad presta un oído compasivo.

Cuando la energía del bazo es excesiva, o jitsu

Cuando el bazo tiene un exceso de energía, la boca se llena de una cantidad de saliva mayor que la normal, ya que el bazo intenta recobrar así el equilibrio. El estómago tiende a estar ácido, sensible y nervioso. Hay pesadez en las piernas y un ansia constante de dulces. La persona tal vez sufre de hipoglucemia, por comer demasiados dulces. Por consiguiente, tal vez esté de mal humor y sujeta a grandes cambios en el nivel de energía. Aquí también es posible que la persona se entregue demasiado a la compasión, de sí misma y de los demás, y piense que el esfuerzo y la comprensión son inútiles.

El meridiano del hígado

El hígado es verdaderamente un órgano maestro. Realiza muchas tareas complejas y pasmosas, como almacenar energía, limpiar la sangre y crear células inmunitarias y enzimas digestivos.

En Oriente decimos que el hígado es la sede del alma. La emoción asociada con el hígado y la vesícula biliar es la rabia. Demasiada rabia daña al hígado. A la inversa, la ecuanimidad lo relaja y lo hace funcionar mejor.

Cuando la energía del hígado está agotada, o kyo

Cuando la energía del hígado está débil, la persona se cansa fácilmente, porque el hígado no está liberando glucógeno, o combustible almacenado. Estas personas sufren de mareos, cansancio en los ojos, y una propensión a tener accidentes. El cuerpo se intoxica con facilidad porque el hígado es incapaz de desintoxicar la sangre. Le es más fácil contraer hepatitis y otras graves enfermedades hepáticas, y más difícil librarse de ellas. Las personas cuya energía del hígado es débil contraen fiebres y tienen poca vitalidad sexual, impotencia y problemas de próstata.

En el aspecto psicológico, la persona de hígado débil se enfada, se irrita y enfurece con mucha facilidad. Estas personas son dadas al nerviosismo y las contradicciones. Les es imposible subir de peso. Dedican demasiada atención a los detalles triviales.

Cuando la energía del hígado es excesiva, o jitsu

Cuando la energía del hígado es excesiva, la persona es muy enérgica y obsesiva, y sufre de adicción al trabajo. Es dada a beber en exceso, sobre todo alcohol. Estas personas probablemente sufren de pesadez en la cabeza, mala digestión y ocasionales mareos o vértigos. Puesto que la energía del meridiano es excesiva, hay tirantez en todo él, lo que provoca opresión en el ano, hemorroides y, en los hombres, problemas de próstata y malestar en los testículos. Las mujeres que tienen exceso de energía en el hígado tienen problemas de ovarios, a veces quistes, inflamación en los órganos reproductores y síndrome premenstrual. Tanto los hombres como las mujeres tienen una opresión en el hara, flatulencia y putrefacción de los tejidos, que causan olor corporal.

En el aspecto psicológico, estas personas son tenaces, agresivas, propensas a la ira, muy emotivas en general e, irónicamente, muy sensibles. Son buenas comedoras y tienen gran apetito. Se esfuerzan constantemente por controlar la rabia y los estallidos emocionales. Esta continua represión da paso finalmente a estallidos de cólera, después de los cuales piden disculpas y sienten remordimientos.

El meridiano del estómago

La función del estómago consiste en recibir los alimentos parcialmente digeridos (es decir, masticados) y prepararlos para el intestino delgado. El estómago secreta ácidos que descomponen el alimento y lo hacen más accesible a ser asimilado en el torrente sanguíneo una vez que llega al intestino delgado.

El estómago es uno de esos órganos a los que no se puede dejar de hacer caso. Cualquier problema estomacal nos altera, y los trastornos gástricos crónicos nos molestan durante todo el día.

Cuando la energía del estómago está agotada, o kyo

Cuando el estómago está sin energía, la persona tiene poco apetito, es melindrosa respecto a lo que come y normalmente sufre de molestias crónicas debidas a la secreción gástrica ácida. Suele sentir las piernas pesadas y el cuerpo se le cansa con facilidad. Suele tener dolor de estómago y, si come algo no apropiado, el dolor agudo puede durar horas. Los problemas estomacales suelen ir acompañados de otros problemas relacionados con la digestión: estreñimiento, diarrea o colon irritable.

Los problemas estomacales tienen efectos muy directos en nuestra psique. Las personas que tienen mermada la energía del estómago son malhumoradas, maniáticas y tienden a pensar demasiado, sobre todo en sí mismas. Dado que se cansan fácilmente sufren de la idea de que son débiles. Suelen tener poca seguridad en sí mismas. Padecen ansias de alimentos blandos y fríos, como helados de crema, y de bebidas gaseosas, pero en general tienen poco apetito. Necesitan descansar y prefieren estar reclinadas en el asiento, aunque estén sentadas en una silla de respaldo recto.

Estas personas tienen dificultad para recibir lo que necesitan. El funcionamiento del estómago es débil, lo que las hace sentirse mal nutridas y maltratadas por la vida. Suelen sentirse frustradas. No disfrutan de la diaria lucha por la existencia, sino que todo lo consideran una molestia.

Cuando la energía del estómago es excesiva, o jitsu

El exceso de energía en el estómago lleva a dar demasiada importancia al estómago. La persona tiende a comer en exceso, aunque aquí también hay poco apetito. Es posible que sienta tirantez u opresión en los hombros y algo de dolor; tiene mala circulación en las piernas o en general, la piel seca y áspera, y tendencia a la anemia. Las mujeres pueden tener problemas crónicos en los órganos sexuales.

Cuando es excesiva la energía del estómago, la persona tiende a pensar demasiado. Normalmente tiene una enorme ambición o apetito de vida, pero no puede satisfacerlo y se siente frustrada. Estas personas están siempre insatisfechas. En el aspecto emocional pueden ser extremas: o frías y descariñadas, o excesivamente afectuosas. Son grandes comedoras, pero comen deprisa y sin apreciar lo que comen. Su lucha es constante, nunca satisfechas de haber conseguido el objetivo. Tienden a ser neuróticas.

El meridiano del corazón

Los meridianos del corazón y el del intestino delgado son los que están asociados con la experiencia de la alegría.

Cuando la energía del corazón está agotada, o kyo

El agotamiento de la energía del corazón es causa de enfermedades cardiacas, palpitaciones, angina de pecho, tensión en el hara y palmas sudorosas. La persona se cansa con facilidad, suele tener la lengua con saburra y tiene tensión en el plexo solar. Corre el riesgo de sufrir un infarto.

La energía débil del corazón provoca cansancio mental, conmoción, tensión nerviosa, estrés permanente, timidez, poco apetito de alimentos y de vida, mala memoria, poca o falta completa de voluntad y desilusión crónica.

Cuando la energía del corazón es excesiva, o jitsu

El exceso de energía en el corazón produce una sensación de tensión y opresión en el corazón y la zona del pecho. Aquí también, la persona tiene las manos sudorosas, una necesidad constante de aclararse la garganta, sensibilidad de la piel, dolor de hombros y brazos, estómago nervioso y palpitaciones. Puede haber una sensación de tirantez en la lengua y una rigidez generalizada en el cuerpo.

El exceso de energía en el corazón es causa de tensión crónica, estrés, inquietud, incapacidad de relajarse, y una necesidad de distraerse de la molestia que sufre el corazón. La persona está siempre haciendo algo con las manos, ajustándose el pantalón o la camisa, tocándose la cara, jugueteando con el pelo. Se cansa con facilidad y tiene poca resistencia; tiende a tartamudear; suele tener una rigidez constante en el plexo solar y sed también constante. Tiene ataques de histeria, de risa o llanto al menor incentivo.

El meridiano del intestino delgado

El intestino delgado se encarga de extraer los elementos nutritivos de los alimentos y hacerlos accesibles al torrente sanguíneo. La función abstracta del intestino delgado es profunda. De la materia bruta o sin refinar, el intestino delgado extrae lo que es esencial y lo pone a disposición de nuestro organismo para sustentar la vida. No hay papel más importante en nuestra vida que la de ver lo que es valioso en nuestro entorno y aprovecharlo.

La calidad de nuestra sangre, es decir, el grado en que recibe nutrición adecuada, depende de nuestra dieta y del funcionamiento de nuestro intestino delgado. Si nuestra dieta carece de elementos nutritivos, o es rica en grasas, que recubren las pequeñísimas vellosidades intestinales, no podremos extraer suficientes elementos nutritivos del alimento. En consecuencia, las células estarán desnutridas y tendrán que quitar elementos nutritivos a los tejidos vecinos, incluidos los huesos y los dientes.

El intestino delgado, además, absorbe el hierro de los alimentos, que colabora en el transporte de oxígeno a todas las células del cuerpo. Cuando es bajo el nivel de hierro, disminuye la capacidad de la sangre de llevar oxígeno. Por lo tanto, nuestra capacidad para absorber la cantidad adecuada de hierro depende del buen funcionamiento del intestino delgado.

Cuando la energía del intestino delgado está agotada, o kyo

Cuando está agotada la energía del intestino delgado, la absorción de elementos nutritivos es escasa. La persona puede sufrir cierto grado de desnutrición. Hay mucha probabilidad de que se produzca anemia y cansancio crónico, sobre todo en las caderas y piernas. Puede haber problemas en la parte baja de la espalda y fuerza insuficiente en el hara. Probablemente habrá estancamiento de sangre en el propio intestino delgado, que, si no se corrige, sólo conducirá a empeorar la salud en el futuro.

La debilidad del intestino delgado contribuye a causar otros tipos de problemas digestivos, como por ejemplo estreñimiento y apendicitis. En las mujeres, los trastornos del intestino delgado provocan problemas menstruales crónicos, entre otros el síndrome premenstrual y el dolor y quiste del ovario. Los trastornos intestinales de todo tipo tienden a producir dolores de cabeza. El agotamiento de la energía del intestino delgado suele provocar migrañas.

La persona que sufre de debilidad del intestino delgado es propensa a pensar demasiado. Estas personas sufren de ansiedad; tienden a controlar sus emociones con la mente, pero les falta alegría y a veces experimentan una tristeza profunda.

La energía débil del intestino delgado suele estar en la raíz de la incapacidad de una persona para aprovechar al máximo sus talentos. Las personas que tienen poca energía en el intestino delgado suelen percibir sus capacidades innatas y oportunidades en el trabajo, pero no son capaces de explotarlas. Eso les produce mucha frustración y profundas dudas y desconfianza de sí mismas.

Cuando la energía del intestino delgado es excesiva, o jitsu

Cuando la persona tiene exceso de energía en el intestino delgado, suele tener rigidez en las vértebras cervicales y en el plexo solar, sobre todo por las mañanas. También hay frío en el hara debido a la falta de irrigación sanguínea en los órganos inferiores. Estas personas tienen mala circulación en las extremidades, frío en las manos y los pies y estreñimiento crónico, que puede alternar con diarrea. Es posible que necesiten orinar con frecuencia y tener otros problemas de la vejiga y, las mujeres, dolor en los ovarios.

Las personas con excesiva energía en el intestino delgado tienden a tener firme determinación y la capacidad para acabar lo que comienzan. Son inquietas, trabajan demasiado y comen demasiado rápido. Reprimen sus emociones, muchas veces en detrimento propio, y tienen dificultad para relajarse. Son muy ambiciosas, pero suelen no apreciar sus consecuciones o éxitos.

El meridiano de la vejiga

Tanto para la medicina oriental como para la occidental, la vejiga y los riñones son órganos relacionados, y la emoción asociada a estos dos órganos es el temor. La vejiga influye en el sistema hormonal, la glándula pituitaria y el sistema nervioso autónomo, y tiene relación directa con los órganos sexuales y el tracto urinario.

Cuando la energía de la vejiga está agotada, o kyo

La persona que tiene débil la vejiga suele tener micciones frecuentes, mal control de la vejiga y tensión nerviosa, además de mala circulación, tirantez en las piernas y frío en la columna y nalgas. (Por aquí pasa el meridiano de la vejiga: baja por la espalda, atraviesa las nalgas y baja por las piernas hasta los pies, terminando en el dedo meñique.) Es muy posible que tenga problemas en los órganos sexuales. La debilidad de la vejiga suele causar sudores nocturnos.

Las personas con poca energía en la vejiga suelen ser tímidas y nerviosas. Albergan muchos temores, son muy sensibles y se quejan constantemente.

Cuando la energía de la vejiga es excesiva, o jitsu

Las personas que tienen excesiva energía en la vejiga pueden sufrir de rigidez en el cuello. Suelen tener migrañas, producidas sobre todo por miedos reprimidos. Sienten pesadez en los párpados y la cabeza, tirantez en la parte posterior de las piernas, tienen micciones frecuentes y a veces inflamación en la próstata. También el sistema nervioso autónomo puede estar agotado.

Las personas con exceso de energía en la vejiga se preocupan por detalles sin importancia. Son nerviosas e inquietas y excesivamente sensibles. Igual que aquellas que tienen problemas de riñones, también temen algún desastre inminente.

El meridiano de la vesícula biliar

La vesícula biliar y el hígado son órganos complementarios. La bilis se almacena en el hígado y se envía a los intestinos, donde colabora en descomponer los alimentos, sobre todo los grasos. Como dije anteriormente, los ácidos biliares son neutralizados por el colesterol en la vesícula biliar. Si el nivel de colesterol aumenta excesivamente, los ácidos biliares son incapaces de mantener el colesterol en solución; entonces cristalizan y forman cálculos, que son muy dolorosos.

Cuando la energía de la vesícula biliar está agotada, o kyo

Las personas cuya energía en la vesícula biliar se ha agotado, tienen poca bilis, mala digestión y son propensas a la diarrea. Duermen mal y tienen mareos o vértigos, exceso de mucosidad en los ojos, palidez en la cara, acidez de estómago y molestias en el lado derecho del plexo solar.

En el aspecto psicológico, estas personas tienen tendencia a estar reprimidas y airadas. Su rabia suele aflorar en forma de furia. Son propensas a la tensión nerviosa. Suelen ser tímidas, asustarse con facilidad y carecer de determinación. Sueñan con realizar cosas, pero con frecuencia no tienen ni la voluntad ni el valor para hacer realidad sus sueños.

Cuando la energía de la vesícula biliar es excesiva, o jitsu

En las personas que tienen exceso de energía en la vesícula, hay falta de sueño, mucho pensar y planear, y molestias e incluso dolor en el lado derecho del plexo solar. Estas personas pueden tener poco apetito, una coloración amarillenta en el blanco de los ojos, y una presión ocular que a veces los hace saltones por la emoción. Suelen tener un sabor amargo en la boca, dolor de hombros, rigidez en los músculos, migrañas, estreñimiento y estancamiento de mucosas; consumen demasiados dulces y no les gustan los alimentos ácidos.

En el aspecto psicológico, estas personas tienden a asumir demasiada responsabilidad en el trabajo; trabajan demasiado, prestan demasiada atención a los detalles y se alteran fácilmente; son impacientes y siempre tienen prisa.

El meridiano del constrictor del corazón

El meridiano del constrictor del corazón baja por el brazo desde la axila hasta la punta del dedo medio. Según la medicina oriental, este meridiano proporciona energía complementaria al corazón, la circulación y el pericardio o saco cardiaco. Dado que ayuda a la circulación, la energía del constrictor del corazón es responsable en parte de proveer de adecuada cantidad de oxígeno y nutrición a las células de todo el cuerpo.

Los problemas relacionados con la energía del constrictor del corazón son similares a los asociados con el corazón.

Cuando la energía del constrictor del corazón está agotada, o kyo

Cuando el constrictor del corazón tiene poca energía, la persona tiene dificultad para tragar, es propensa a la irritación de garganta, la amigdalitis, las palpitaciones, la presión arterial baja, y puede sentir molestias, e incluso dolor, en el pecho y caja torácica. Estas personas pueden tener dificultad para respirar y una sensación de opresión en el pecho.

En el aspecto psicológico, son inquietas y distraídas; tienen problemas para dormir.

Cuando la energía del constrictor del corazón es excesiva, o jitsu

Las personas cuyo constrictor del corazón tiene exceso de energía sufren de fuertes palpitaciones, hipertensión, mareos y cansancio crónico. Tienen mala circulación, rigidez en el plexo solar y el hara, y algo de dolor de estómago. Pueden tener tirantez generalizada en las manos y palmas, la lengua con saburra, y algunos problemas digestivos, entre ellos colon irritable.

El exceso de energía en el constrictor del corazón provoca inquietud o desasosiego, nerviosismo y huida de los problemas emocionales o de cualquier cosa que tenga que ver con el corazón.

El meridiano del triple calentador

El meridiano del triple calentador sube por el brazo desde el dedo anular hasta el hombro, desde allí sube por el cuello y rodea la parte superior de la oreja hasta llegar a la sien, conectando tres centros energéticos.

Cuando la energía del triple calentador está agotada, o kyo

Cuando la energía del triple calentador está agotada, la persona es enormemente sensible a los cambios de temperatura y humedad; se resfría con facilidad, tiene los ojos cansados y la piel sensible; suele ser alérgica al polen y a otros antígenos, sufre de opresión en el pecho y el hara, tiene baja la presión arterial y sufre de dolor en la nuca y en las sienes.

En el aspecto psicológico, estas personas tienen muchas obsesiones. Su desequilibrio suele ser consecuencia de demasiados mimos en la infancia. Son muy sensibles en general.

Cuando la energía del triple calentador es excesiva, o jitsu

Cuando hay exceso de energía en el triple calentador, la persona sufre de inflamaciones linfáticas y mucosidad nasal. Estas personas son propensas a los accidentes y tienen mala circulación; sufren de picores en la piel, sienten el pecho oprimido, pesadez en las piernas y suelen tener inflamaciones de las encías, boca y vientre.

El exceso de energía en el triple calentador hace a la persona muy cautelosa, hipersensible y siempre alerta. A estas personas les disgustan los cambios de humedad y temperatura, y se cansan fácilmente.

* * *

Una de las mejores maneras de diagnosticar a otra persona empleando las Cinco Transformaciones y la diagnosis de meridianos es empezar por la voz. Sencillamente hablando con una persona se puede descubrir mucho acerca de su psicología. Examinemos la diagnosis de la voz, usando la información que he presentado.

DIAGNÓSTICO DE LA VOZ

En diagnosis oriental decimos que el corazón es el amo de la voz, con lo cual queremos decir que el corazón controla el uso de la voz. Todos sabemos esto en cierto grado. Cuando estamos enamorados, cantamos; cuando estamos enfadados, chillamos; cuando estamos tristes, lloramos; cuando estamos contentos, canturreamos. Si bien estas son generalizaciones, podemos reconocer fácilmente que nuestras emociones tienen un enorme efecto en nuestra manera de modular la voz.

Según la medicina oriental, las emociones asociadas con el corazón son la alegría y la histeria: una positiva y la otra desequilibrada. La alegría de la voz se puede percibir como risa. La persona puede estar hablando de un tema muy vulgar, pero si su corazón es fuerte o dominante, podemos percibir un dinamismo dichoso en sus palabras, lo que indica una naturaleza feliz. En cuanto a reconocer histeria en la voz, no es necesario ser un diagnosticador oriental para hacerlo.

Así como el corazón es el amo de la voz, los riñones son sus raíces. Una voz que sale de los riñones, es decir de la parte inferior del cuerpo, es profunda y sonora. Una voz aguda, sobre todo en un hombre, indica cierto tipo de debilidad de los riñones. Compruebe con el resto de la cara, sobre todo la zona bajo los ojos, para ver cuál podría ser el problema de los riñones.

La emoción asociada a los riñones es el temor. Muchas veces podemos percibir una emoción concreta en la voz: una voz medrosa o temblorosa. Escúchela para ver si hay un grado de temor. Una persona que habla con energía y franqueza, con confianza en la voz, tiene fuerte la energía del riñón. De vez en cuando se detecta una especie de acuosidad en la voz. Eso no se debe simplemente a la presencia de mucosidad, aunque también se puede encontrar eso. Lo que quiero decir con «acuosidad» es una voz débil que parece contener ciertas lágrimas, melancolía. La melancolía crónica suele estar causada por un desequilibrio en los riñones.

Escuche la dirección que toma la voz cuando habla la persona. ¿Baja mucho la voz, haciéndose menos emotiva y más grave, o sube, haciéndose más emotiva y descontrolada? ¿Permanece en un tono invariable, monótono? ¿O es irregular, con una serie de montes y valles? Esa tendencia le dirá mucho sobre el estado interior de la persona. Una gravedad que va hacia la aflicción revela un problema en los pulmones o el intestino grueso.

Los pulmones se consideran el portal de la voz, en el sentido de que proporcionan el aire necesario para que funcione la laringe. La emoción asociada con los pulmones es la aflicción. Se puede detectar fácilmente la aflicción como tristeza o dolor emocional profundo. La aflicción está estrechamente relacionada con la rabia; de hecho la aflicción da origen a la rabia en muchas personas.

La rabia en la voz revela un desequilibrio en el hígado. Es muy fácil reconocer una voz enfadada; e inmediatamente se sabe que hay un problema hepático.

Cuando escuche una voz demasiado compasiva, una especie de deje «pobre de mí» o «pobre de ti», deberá dudar de la fortaleza del bazo. Pregúntele a la persona si come mucha azúcar o bebe vino; estas dos cosas dañan el bazo. Esa persona deberá comer más calabazas y verduras redondas, como por ejemplo berenjenas, y alimentos ricos en minerales; estos alimentos fortalecen el bazo. (En el capítulo 9 encontrará alimentos curativos.)

La vida es energía. Sin ella nada se mueve, nada descansa. Sin energía, la materia es inanimada. Cuando vemos energía, vemos espíritu. Cada espíritu es una manifestación única del Gran Espíritu, Tao. Por lo tanto, no hemos de hacer juicios negativos de nadie. En su lugar, hemos de maravillarnos ante la infinita creatividad de Tao o Dios. En cuanto diagnosticadores orientales, nuestro único deseo es facilitar el movimiento de la energía dentro de nosotros mismos y de las personas con quienes nos encontramos; hacer avanzar nuestro ser interior, así como el ser interior de las personas que nos rodean. Al adquirir este maravilloso conocimiento, está en nuestro poder servir a esa finalidad: mover la energía en la dirección en que realmente desea ir. ¡Qué fabulosa manera de vivir!

4

Hara

«HARA» SIGNIFICA LITERALMENTE «cultivo de la vida» o «centro vital». Significa el centro de gravedad. Pero este centro de gravedad debe considerarse en un sentido mucho más amplio. Hara es el punto de equilibrio de nuestra vida física, mental, emocional y espiritual. Cuando se dice que alguien está centrado, equilibrado y enfocado, está en contacto con hara.

En Oriente el significado de hara es tan amplio, tan extenso, que sería erróneo sugerir que se puede resumir en una sola frase o un conjunto corto de frases. El cultivo de y la comunión con hara es una empresa de toda la vida para los japoneses. Todas las artes marciales, todas las artes culturales (entre ellas la pintura y la música), todas las disciplinas espirituales y todas las transacciones de negocios se realizan, con mayor o menor éxito, desde el propio hara. Hara es el centro del yo; es la raíz espiritual de la propia vida. Así como las raíces de un árbol se hunden en la tierra para extraer el sustento, hara es la raíz de la cual se extrae el poder y la conexión con la energía universal. Hara es nuestro cordón umbilical. La energía universal entra en nuestro ser a través del hara.

En su maravilloso libro *Hara: The Vital Center of Man** [Hara: El centro vital del hombre], Karlfried Graf von Durckheim señala que los seres humanos siempre estamos suspendidos entre los polos arquetípicos del cielo y la Tierra, el espacio y el tiempo. Estos polos nos atraen desde sus posiciones ventajosas: el cielo nos impulsa hacia ideales superiores y la comunión última con el espíritu; la Tierra nos atrae hacia el deseo de éxito, poder, riqueza y longevidad. La dualidad cielo y Tierra se representa en nuestra limitada existencia espacial-temporal en la Tierra.

---

* Karlfried Graf von Durckheim, *Hara: The Vital Center of Man*, George Allen & Unwin, 1962.

Esta dualidad nos crea en el interior un abrumador conjunto de tensiones, cada una tirando hacia su dirección. La vida de un hombre o una mujer es una lucha por integrar esos arquetipos. Podemos engañarnos a nosotros mismos pensando que esos dominios existen fuera de nosotros, pero de hecho el cielo y la Tierra son dominios que están en el interior de nuestras conciencias. Por lo tanto, la vida en sí misma es un intento por integrar esos dos polos antagónicos y complementarios.

Con frecuencia cedemos ante uno u otro, abandonando la Tierra por el cielo, o renunciando al cielo por las avasalladoras tentaciones de la Tierra. ¿Dónde está el equilibrio y la integración? La respuesta es: en hara. Hara es el modo de integración. Es el verdadero centro del ser, donde se armoniza la dualidad de la vida. En nuestro centro espiritual, hara, hay paz y equilibrio. Por lo tanto, el oriental cultiva una actitud que intenta que cada movimiento y acto proceda de su hara.

En cuanto centro vital, hara es la fuente de la salud, la vitalidad personal y la resistencia. Cuando una persona actúa desde hara, se mueve sin esfuerzo. Es llevada y sostenida por el poder infinito del Universo, es una con el Tao.

Si bien un estudio del hara puede alcanzar alturas sublimes, el hara en sí mismo es eminentemente práctico en su aplicación a la vida.

Todos los objetos físicos, incluidos nuestros cuerpos, tienen un centro de gravedad desde el cual logran el equilibrio. Si el centro de gravedad está bajo, el objeto permanece firmemente asentado en cualquier superficie. No se lo puede mover fácilmente. Si el centro de gravedad está alto, el objeto se desequilibra y puede moverse o derribarse con facilidad. Las cosas que tienen el peso arriba se caen fácilmente. Las cosas que lo tienen abajo no se caen.

En el cuerpo humano, el hara ocupa la zona general situada entre el plexo solar y el hueso púbico. A eso se debe que, tradicionalmente, los orientales dicen que la persona que tiene el hara fuerte tiene redaños, es decir valor.* Las personas que tienen desarrollado el hara son valientes y tienen capacidad de aguante, de resistencia.

El hara se considera como un segundo cerebro; también se lo llama «el cerebro pequeño». Directamente detrás de la zona en que está situado, debajo del plexo solar en la columna, hay un haz de nervios que representa la mayor concentración de nervios que existe fuera del cerebro. Esta concentración de nervios es responsable de muchos de los movimientos de la parte inferior del cuerpo. Cuando se le corta la cabeza a un pollo, por ejemplo, el cuerpo del pollo sigue corriendo, aunque ya no tiene cerebro que dirija sus movimientos. Lo que dirige los actos del pollo es el cerebro pequeño, el sistema nervioso autónomo. El dinosaurio tenía un enorme cuerpo y una cabeza pequeña con un cerebro minúsculo. Su cerebro era demasiado pequeño para encargarse de

---

* Véase nota a pie de página 117. *(N. de la T.)*

todas las funciones de ese cuerpo tan grande. En lugar del cerebro, era su sistema nervioso el que dirigía muchos de sus movimientos corporales.

Lo mismo ocurre a las personas. Realizamos muchos actos involuntariamente: los latidos del corazón, por ejemplo, y la respiración. Podemos controlar conscientemente nuestra respiración, pero la mayor parte del tiempo respiramos sin controlarla.

Podemos comenzar a aprender la diagnosis del hara dándonos cuenta de cómo respiramos nosotros y los demás, es decir, dónde tenemos el aire o aliento una vez que lo inspiramos. ¿Lleva el aire inspirado hacia la parte inferior del cuerpo, es decir el estómago y la zona del intestino, o lo deja en la parte superior del pecho?

Cuando se respira profundamente, llevando el aire hacia esa zona de abajo, se nutre y se desarrolla el hara. Cuando el hara se hace más fuerte, uno se siente más relajado, capaz y confiado. Las personas cuya respiración es más superficial, es decir, que dejan el aire en la parte superior del pecho, son más nerviosas, emotivas, inseguras e inciertas. Numerosos estudios científicos demuestran que esto es una realidad.

Las personas que respiran superficialmente no comprenden que el aire o aliento es ki, y que el exceso de ki estimula el centro de energía del corazón. Cuando este centro de energía, llamado chacra del corazón en Oriente, es estimulado en exceso, el cuerpo de la persona pierde el equilibrio, sus emociones se excitan y descontrolan y aumenta la tensión nerviosa. Comprensiblemente, entonces, a la persona le falta confianza en sí misma, sabiendo que sus energías no son estables. (Para fortalecer su hara le recomiendo que haga cada día el ejercicio que explico más adelante. De inmediato sentirá que su hara se hace más potente y se sentirá más confiado y seguro de sí mismo.)

La respiración superficial eleva el centro de gravedad hacia el pecho, donde entonces se excitan las energías. Efectivamente, cuando tenemos el centro emocional inestable, cuesta muy poco hacernos perder el equilibrio o trastornarnos. La propia palabra «trastornar» describe exactamente lo que quiero decir.

Al tomar conciencia de cómo respira uno y de cómo respiran los demás, comenzamos a comprender la fuerza de nuestros haras y nuestras naturalezas psicológicas.

Cuando tenemos fuerte el hara, nuestros actos tienen base y permanecemos equilibrados, sea cual sea la confusión o el trastorno que haya a nuestro alrededor.

En Occidente se han cultivado los centros de energía o chakras que están encima del hara. Por ese motivo, cuando a los soldados occidentales se les ordena ponerse firmes, han de sacar pecho y entrar el vientre. La energía sube desde el hara y entra en el pecho. El bajo abdomen se tensa y se retrae. Esto impide que el aire o aliento llegue al centro del hara. Esa postura es antinatural para los seres humanos. Es mucho más cómodo y estable dejar descansar la energía en la parte baja del abdomen y que nuestros actos fluyan desde este punto.

En Japón, hasta los actos más sencillos están dirigidos desde el hara. Por ejemplo, cuando cortamos madera, tiramos de la sierra hacia nosotros con un movimiento hacia abajo, aprovechando el peso corporal para hacer pasar la sierra a través de la madera. Esto nos permite usar una sierra de hoja muy delgada, ya que no hay tensión hacia abajo en la hoja. Mientras corte, puede ser tan flexible como una cinta. Una hoja delgada hace un corte delgado y permite que las ensambladuras calcen muy bien; en Japón las piezas de las puertas y ventanas quedan firmemente ensambladas sin usar clavos. En Occidente se corta la madera empujando la sierra hacia abajo. El centro de actividad parte del hombro y sigue hacia abajo por el brazo. En esa postura la madera ofrece la máxima resistencia a la hoja de la sierra y al cuerpo. Por lo tanto, la hoja ha de ser gruesa y el cuerpo debe trabajar el doble.

En Japón, todo acto es más bien de tirar que de empujar. Si le interesa comprender la cultura japonesa, las artes marciales, el shiatsu, el baile, la cocina, cualquier cosa, debe entender este hecho.

El arte marcial oriental del judo se basa en este mismo concepto. Se aprovecha la energía que proviene del oponente para desarmarlo. En realidad, se permite que el oponente avance, y entonces se dirige su energía

En Ohashiatsu, no empuje;
tire y apoye.

lejos de uno. Esto se hace tirando del oponente en la dirección que uno quiere que vaya. Esto se puede hacer porque él ha iniciado el avance.

Para negociar, el japonés no presiona a la otra persona. Lo que hace es estar en constante retirada y, en el proceso, atrae hacia él a su adversario.

Tengo la suerte de tener entre mis amigos a Henry Kissinger, el secretario de Estado durante la Administración Nixon. Al doctor Kissinger y a mí nos gusta mucho hablar sobre las diferencias entre Oriente y Occidente. Una vez asistió a una fiesta en mi escuela de Nueva York como invitado de honor, y dio una pequeña charla sobre la manera de negociar de los japoneses. Nos contó una reunión que tuvo con dignatarios japoneses, en la cual él expuso una propuesta de Estados Unidos. Los dirigentes japoneses iban diciendo «Sí, sí» después de cada una de sus sugerencias, de modo que cuando terminó la reunión él pensó que habían llegado a un acuerdo. Cuando volvió a Estados Unidos descubrió que los japoneses habían estado en desacuerdo con todo lo que había dicho. Entonces Kissinger protestó: «Pero si ustedes dijeron "sí" a cada una de mis propuestas». Los japoneses replicaron: «Lo que queríamos decir era "Sí, sí, lo hemos escuchado"». Al retirarse, los japoneses intentan atraer al adversario hacia su posición.

Este cultivo del hara por parte de los japoneses corresponde a su estatura. Yo soy muy bajito, sólo mido 1,53 m. En mis clases le pido a uno de mis alumnos más altos que se ponga de pie a mi lado. El alumno suele medir 1,80 o más, por lo que formamos una pareja muy cómica. A veces le pido también a una alumna que se ponga a mi lado, de modo que a la derecha hay un hombre muy alto y a la izquierda una mujer muy alta, y en el medio un muy bajito Ohashi.

Entonces sugiero que los tres nos sentemos en el suelo y estiremos las piernas. Sentados somos notablemente similares en altura. Hay muy poca diferencia de nivel en la altura de nuestras cabezas, aunque nuestras piernas son de largo muy diferente.

Nuestra diferencia de altura no está en nuestros troncos sino en nuestras piernas. Sus troncos van sobre zancos, suelo decirles. Eso significa que nuestros centros de gravedad están a diferentes alturas, y que mi centro de gravedad es en realidad el que está más abajo, porque mi tronco va sobre las piernas más cortas.

Comencemos a aprender la diagnosis del hara de otra persona. Lo primero y más importante es tener la actitud correcta hacia la persona a la que vamos a tratar. Lo que se intenta encontrar es su espíritu, su carácter. Se buscan las tendencias que hay en su naturaleza interior. Se va a palpar su cuerpo energético, su espíritu. Una persona se siente muy vulnerable en el hara. Todos intentamos proteger esa parte del cuerpo, porque sabemos por intuición que es la fuente de nuestra vida. Por lo tanto, nadie desea que le toquen esa parte, a no ser que sea una persona de confianza.

*En Ohashiatsu, atraiga su hara
hacia la otra persona;
no presione, tire.*

Pídale a su amigo o amiga que se eche en el suelo, de espaldas, de preferencia sobre un futón.* Siéntese al lado y baje su hara hasta el suelo o lo más cercano a él posible.

Antes de extender las manos para tocar a la persona, medite. Despeje su mente de todo pensamiento y hágase receptivo a las apacibles vibraciones del Universo. Pídale a su amigo o amiga que haga respiraciones largas y profundas y adapte el ritmo de su respiración a la suya.

Ahora deberá ser muy yin. Deje de lado todas las tendencias agresivas o yang. Conviértase en una madre para esa persona. Mi profesor, el maestro Shizuto Masunaga, solía decirnos que cuando se diagnostica y se da masaje al hara, hemos de convertimos en madres con mente de samurái. Eso quiere decir que siendo principalmente suaves estamos al mismo tiempo centrados y alertas.

Deje salir toda la tensión de sus hombros, brazos y manos. No tense los dedos ni permita que ninguna energía nerviosa se infiltre en sus manos. Procure que éstas estén cálidas y suaves. Si las tiene frías, fróteselas hasta que la circulación las caliente. Puede ponerlas en el grifo con agua caliente y frotárselas con sal antes del tratamiento; eso las calentará y les dará un ki fuerte y bueno. Relaje la cara. No ponga expresión severa sino una afable y tranquilizadora. Cerciórese de que no hay ninguna corriente de aire en el ambiente. La persona ha de estar lo más cómoda posible.

---

* Futón: colchón japonés que se desenrolla para extenderlo en el suelo y usarlo como cama. *(N. de la T.)*

Pídale que separe levemente las piernas y levánteselas de modo que los pies queden apoyados en el suelo y las rodillas flexionadas. Esto va a abrir o exponer el hara; los músculos del vientre van a estar sueltos y flexibles. Si las piernas están estiradas, cerradas o cruzadas, el hara también está cerrado. Cruzarse de piernas cuando se está echado en el suelo es una medida protectora, pero ahora es necesario que la persona se relaje y confíe en usted.

Ahora coloque las manos sobre el abdomen y explore la zona comprendida entre la caja torácica y el hueso púbico. Va a palpar diversos grados de tensión y relajación. Va a explorar las zonas concretas que se muestran en la ilustración para diagnosticar el estado de estos órganos.

Siempre use las dos manos sobre el abdomen, nunca una sola. Úselas de manera coordinada de modo que mientras una explora la otra tranquiliza. Una mano es yang: explora suavemente la zona, descubriendo sus resistencias y debilidades. La otra mano relaja, suaviza las energías y da seguridad a la persona sobre sus intenciones curativas. Eso es justamente lo que debe hacer su masaje: curar restableciendo el equilibrio del cuerpo; mueve el ki, llevándolo hacia los lugares donde falta y quitándolo de los lugares donde es excesivo.

Como dije anteriormente, el hara es a la vez una zona general del abdomen y un punto concreto bajo el ombligo. La zona general del hara revela el estado de los órganos concretos del abdomen. No siempre se va a palpar el órgano mismo sino los lugares donde se acumula la energía de los órganos. Estos son puntos de acupuntura en los meridianos de la energía; revelan el estado de los órganos.

Comencemos por el lado derecho del cuerpo, en el lugar directamente bajo la caja torácica. Desde este punto avanzaremos hacia arriba, es decir, desde debajo de la caja torácica hasta el plexo solar, y de allí hacia abajo por el borde de la caja torácica hacia el lado izquierdo del cuerpo. Después vamos a explorar la zona media del estómago y las zonas más bajas: la del lado izquierdo, el derecho y el centro del abdomen, justo por encima del hueso púbico.

La zona del lado derecho del cuerpo bajo el costado de la caja torácica (más o menos en la posición de las 9.00 en el reloj de la zona del abdomen) revela el estado del pulmón derecho. Si está tenso o apretado, como un puño cerrado, decimos que está *jitsu*. Eso significa que hay tensión en el pulmón y que ese órgano necesita relajarse y calmarse. Tal vez hay congestión o ki bloqueado. Si la zona se siente fláccida o le falta vitalidad, decimos que está *kyo*. Hemos de tonificar y fortalecer los órganos que están kyo.

A continuación se sube hasta las 10.00 en el reloj del abdomen y se palpa el hígado. Nuevamente se explora el órgano para ver si está jitsu o kyo. A las 11.00 en el reloj está la vesícula biliar. Tome las mismas notas mentales. A las 12.00, en el plexo solar, está la zona del corazón. Suavemente palpe la zona y advierta la energía.

A la izquierda del punto del corazón se halla el punto del estómago; y a la izquierda de este punto está el del triple calentador. Triple calentador es el nombre que se le da a tres centros de energía o chakras del abdomen: el corazón, el estómago y el hara. Directamente bajo el punto del corazón hay otro punto del corazón, llamado gobernador del corazón, que es un meridiano que nutre el corazón. Directamente bajo el ombligo está el punto del bazo, y más abajo, el punto de los riñones. A las 8.00 en el reloj del abdomen está el intestino grueso. A las 7.00 está la zona del intestino delgado. A las 6.00 está la vejiga. A las 5.00, el intestino delgado, y a las 4.00 el intestino grueso.

A medida que vaya palpando cada uno de estos puntos, ponga toda su energía en la exploración. Mueva su cuerpo por encima del de la persona para explorar en profundidad, con suavidad y cuidado.

Vaya mirando la cara de su amigo o amiga para comprobar si le duele cuando le palpa algo. Mientras le aplica las manos, hágale preguntas relativas a la información que usted está recibiendo del masaje. «¿Hay algún problema digestivo?», puede preguntarle, si la zona del intestino grueso o del intestino delgado parece desequilibrada.

Cuando haya hecho la evaluación, puede continuar dando un masaje suave, redirigiendo las energías según convenga y dándole recomendaciones dietéticas o de estilo de vida cuando acabe. Si el hara está débil, recomiende el siguiente ejercicio:

Para cultivar la estabilidad, equilibrio y seguridad, debería practicar diariamente ejercicios de respiración profunda y meditación. Visualice su hara como un punto de luz situado bajo el ombligo. Inspire profundamente hacia el hara al mismo tiempo que visualiza cómo el punto de luz se hace más potente y vivo con cada inspiración. Vea cómo la energía del hara se expande en todas direcciones y llena todo su cuerpo con energía, vitalidad y vida. Continúe respirando y llevando ki a su centro vital. Con cada inspiración, visualice su hara que se nutre y enriquece, de modo que el centro vital se va haciendo más potente con cada inspiración. Acabe el ejercicio haciendo una larga inspiración hada el hara y reteniendo allí el aliento durante 5 segundos. Espire y relájese. Vuelva a inspirar y a retener el aliento en el hara durante 5 segundos. Espire y relájese. Haga esto unos cuantos minutos. Es un maravilloso ejercicio de conexión y estabilización.

En el arte oriental y occidental siempre se representa a los grandes maestros espirituales, como Jesús, Buda o Lao-tse, con *haras* maravillosamente desarrollados. Se los representa con el bajo abdomen redondeado, lleno y fuerte. Esto sugiere personas muy desarrolladas, capaces de grandes obras, esencialmente porque sus centros vitales están anclados en la energía universal (Dios, Tao o el Gran Espíritu), que ellos son capaces de manifestar y canalizar para la consecución de alguna finalidad superior.

5

La espalda

SOY UN ADMIRADOR FANÁTICO del ballet. Uno de mis favoritos es *El lago de los cisnes*. He visto muchas diferentes producciones de este ballet, y he llegado a apreciar los diversos estilos que cada una de las bailarinas aporta al papel protagonista. Una de las pruebas críticas de si la bailarina puede realmente dar vida al papel de Odette llega hacia el final del ballet, cuando Odette debe expresar su dolor por tener que abandonar el mundo humano y volver al mundo de los cisnes. Algunas bailarinas intentan expresar la angustia de ese momento en la cara, brazos y piernas. No soy crítico de danza, por supuesto, pero como admirador del ballet, he llegado a apreciar verdaderamente a la bailarina que es capaz de comunicar su aflicción no sólo con la cara y los movimientos de su cuerpo, sino también con la espalda. Las grandes bailarinas consiguen revelar su sufrimiento con todo el cuerpo, especialmente con los hombros y espalda. Los hombros se doblan hacia delante; la espalda comunica el enorme peso de la desesperación. Saben transmitir totalmente la emoción de ese instante, y nosotros, de público, nos conmovemos.

En Japón, cuando una persona está verdaderamente triste decimos que sus hombros lloran. Eso es tristeza. Eso es llorar realmente. A veces decimos lo contrario; decimos que sus hombros se ríen, queriendo decir que está verdaderamente feliz. El motivo para usar estas expresiones es que los japoneses no demostramos mucha emoción, pero cuando una persona sufre un dolor profundo, o expresa gran felicidad, revela su emoción en la postura, sobre todo en la postura de la espalda.

Todas las personas somos muy conscientes de la parte delantera de nuestro cuerpo. Cuando pensamos en nuestra apariencia, nos vemos de frente. Es la zona con que nos presentamos al mundo; las palabras «confrontar» y «enfrentar» lo dicen todo. Por lo tanto la adornamos con joyas, corbatas, ropa hermosa, zapatos brillantes, maquillaje y peinados de fantasía. No se puede hacer mucho en la espalda; no se puede manipular mucho, no hay mucho que adornar allí.

Por eso yo creo que la espalda es más sincera. Es más reveladora de nuestro interior.

En la evolución humana, la espalda ha pasado de una posición horizontal a una vertical. Evidentemente, este cambio de horizontal a vertical nos ha alterado en todos los aspectos: físico, psicológico y espiritual.

En el desarrollo de los niños podemos observar algunos de los cambios que esta evolución ha producido en la postura. Cuando somos bebés movemos lateralmente nuestras extremidades, en lo que se llama posición homóloga, como una lagartija u otro reptil. La siguiente fase del movimiento es homolateral, un movimiento de extremidades cruzadas, es decir, gateamos coordinando los movimientos del brazo derecho con la pierna izquierda y los del brazo izquierdo con la pierna derecha. Esa es la manera de caminar de todos los animales cuadrúpedos. Finalmente nos ponemos de pie y caminamos. Esto completa todo el ciclo evolutivo de la vida sobre la Tierra. Hemos evolucionado a partir de una sola célula convirtiéndonos en un organismo multicelular en el mundo acuoso del vientre de nuestra madre (durante ese tiempo en realidad nos parecemos a un pez), para luego nacer en el mundo. En este proceso adoptamos los movimientos que pertenecen a las fases de la evolución explicadas más arriba: de reptil a cuadrúpedo y finalmente a ser humano.

Cada fase es esencial para el desarrollo correcto del cerebro, músculos y nervios. Las vértebras cervicales (del cuello) se desarrollan a medida que el bebé aprende a levantar la cabeza. Gatear es el mejor ejercicio preparatorio para caminar. Si un bebé gatea o camina demasiado pronto, puede tener problemas en el desarrollo de los huesos, nervios, músculos y cerebro. Un ejemplo de esto es el niño que camina demasiado pronto y desarrolla caderas débiles; posteriormente tendrá el problema de pies torcidos hacia dentro, las piernas hacia fuera y las rodillas muy juntas. Esta persona puede también sufrir de dolores de espalda a edad temprana. Se puso de pie antes de que su cuerpo estuviera preparado. Las caderas y los músculos no estaban aún preparados para respaldar ese paso.

Curiosamente, incluso de adultos solemos repetir este mismo ciclo evolutivo. Cada noche adoptamos en la cama la postura de un bebé en el vientre; cuando despertamos nos estiramos (movimiento homólogo) y luego gateamos (movimiento cruzado) para salir de la cama, y por último nos ponemos de pie. Por la noche repetimos el proceso a la inversa.

Para diagnosticar la espalda hemos de comprender la columna. Las partes principales de la espalda en que nos vamos a concentrar son las 24 vértebras que forman la parte central de la columna. De arriba abajo, estas vértebras son las 7 cervicales, las 12 torácicas o dorsales y las 5 lumbares. Entre la quinta y sexta vértebras torácicas se sitúa el centro de la espalda.

Entre cada par de vértebras hay un cojín o disco que absorbe y dispersa la presión que se produce al caminar o correr. A veces, este disco se mueve

Nuestra espalda representa nuestra vida y carácter.

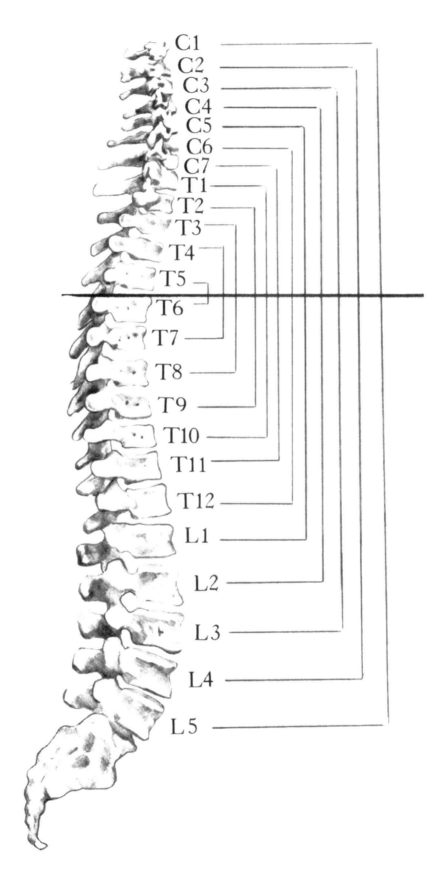

C1
C2
C3
C4
C5
C6
C7
T1
T2
T3
T4
T5
T6
T7
T8
T9
T10
T11
T12
L1
L2
L3
L4
L5

*Línea divisoria entre la quinta
y la sexta vértebras torácicas
o dorsales.*

o disloca (trastorno llamado disco herniado, prolapsado o deslizado), y pellizca o pinza los nervios que hay entre las vértebras.

Las vértebras de la columna tienen entre sí una relación opuesta y complementaria: la parte superior de la columna está relacionada con la base, y viceversa. Si hay dolor en la zona superior, es probable que la lesión esté en la zona inferior. Si hay dolor en la base de la columna, es probable que la lesión haya ocurrido en el cuello. Si la persona tiene dolor en la parte inferior de la espalda, pregúntele si alguna vez recibió un golpe o se lesionó la nuca (vértebras cervicales tercera y cuarta).

Del mismo modo, los problemas en la mandíbula o los dientes suelen estar causados por exceso de tensión en la parte baja de la espalda. A veces los niños hacen rechinar los dientes cuando duermen. Eso podría indicar un problema de los riñones o de los órganos sexuales. Tal vez tiene un problema con el progenitor de sexo opuesto, lo que hace que la energía esté atrapada en los órganos sexuales y cause tensión en la zona baja de la espalda.

Si su hijo o hija hace rechinar los dientes, haga lo siguiente:

1. Cámbiele la almohada por una cilíndrica y dura.
2. Que duerma en un colchón más firme, o un futón.
3. Que restablezca la armonía con el progenitor del sexo opuesto.

La relación opuesta y complementaria entre las vértebras es particularmente importante para diagnosticar el origen de los problemas de espalda y para tratar la columna. No es necesario tocar la zona donde está localizado el dolor. Vaya en cambio al extremo opuesto de la columna y dé un masaje suave a las vértebras. Por ejemplo, si hay dolor en la baja espalda, digamos en la quinta vértebra lumbar, aplique suavemente las manos y calme la zona de la primera y segunda vértebras. También vale lo contrario: si hay dolor en el cuello, calme suavemente las vértebras lumbares para dar alivio. (Véase el diagrama para ubicar cada vértebra.) Y así ocurre con todas las vértebras de la espalda.

Siempre hay alguna deformación en la espalda. Si quiere puede comprobarlo usted mismo con sólo juntar las manos entrelazando los dedos. ¿Qué pulgar queda encima del otro, el derecho o el izquierdo? Trate de juntar las manos al revés, de modo que el pulgar de la mano dominante quede encerrado bajo el que es normalmente pasivo. Lo siente raro, ¿verdad? Ahora vaya a mirarse en un espejo y junte las manos de forma natural. Normalmente el hombro que corresponde al pulgar dominante estará ligeramente más arriba que el correspondiente al pulgar sumiso: pulgar derecho dominante, hombro derecho más alto. El 90 por ciento de las personas presentan este desequilibrio.

Otra manera de comprobar el desequilibrio es cerrar los ojos y caminar en un mismo lugar, sin avanzar. Es mejor hacer este ejercicio en la propia habitación o en un lugar donde no haya obstáculos con los que se pueda chocar. Camine en el mismo lugar durante tres o cuatro minutos y abra los ojos. Ya no estará mirando en la dirección en que estaba mirando al comenzar. Se habrá girado, en el sentido de las manecillas del reloj o en sentido contrario. Si se giró hacia la derecha, en el sentido de las manecillas del reloj, su lado derecho es dominante y probablemente está demasiado contraído; si se giró hacia la izquierda, su lado izquierdo es dominante y está demasiado contraído. Esto significa que los órganos y músculos del lado dominante están demasiado tensos y apretados, mientras que el otro lado está distendido y suelto. Diversas rutinas de yoga, como las posturas y ejercicios de estiramiento, y el masaje, pueden equilibrar estos extremos que hay en el cuerpo.

Con frecuencia les pido a dos de mis alumnos que se pongan delante de la clase y caminen en el mismo lugar con los ojos cerrados. Generalmente parten en distintas direcciones y acaban en partes muy distintas de la sala. La clase se divierte muchísimo con esto.

La desigualdad de una persona suele convertirse en un hábito característico. El actor Peter Falk está fabuloso en su papel televisivo del detective Colombo, en parte porque esa es su manera de caminar y de mantener el cuerpo. Su deformación es su sello característico. Si la perdiera, dejaría de ser quien es.

Una vez una famosa cantante de variedades acudió a mí para un tratamiento. Tenía un pronunciado desequilibrio izquierda-derecha que la hacía sujetar el micrófono y cantar de una manera muy característica e influía en su manera de bailar y de cantar en el escenario. Se le había convertido en sello característico a la vez que en hábito personal.

La sometí a una serie de tratamientos que le corrigieron el desequilibrio. Por desgracia, una vez liberada del desequilibrio se sintió terriblemente confundida en el escenario. Ya no se sentía cómoda sujetando el micrófono ni cantando en sus poses características. Una noche me llamó alarmada para decirme: «Ohashi, se me ha olvidado la manera de sujetar el micrófono y de bailar. Me siento perdida. Tienes que devolverme el desequilibrio...»

La columna se parece mucho a un puente suspendido. Está delicadamente equilibrada y apoyada por todos los elementos que forman toda la estructura, no sólo las vértebras, que se podrían considerar el propio puente, sino por todos los demás factores que componen el cuerpo, entre ellos los órganos y los sistemas óseos. Si cualquier parte del cuerpo se desequilibra, se ve afectada la columna. En otras palabras, la columna es una delicada cadena de huesos que se apoya en muchos otros elementos del cuerpo para mantener la integridad de su estructura. A eso se debe que muchas personas sufren de dolor de espalda: sus estilos de vida les producen desequilibrios en todo el cuerpo, los que a su vez suelen afectar a la columna.

Son tres las principales causas del dolor de espalda. La primera es un

Es posible que conozca a algunas personas como él.

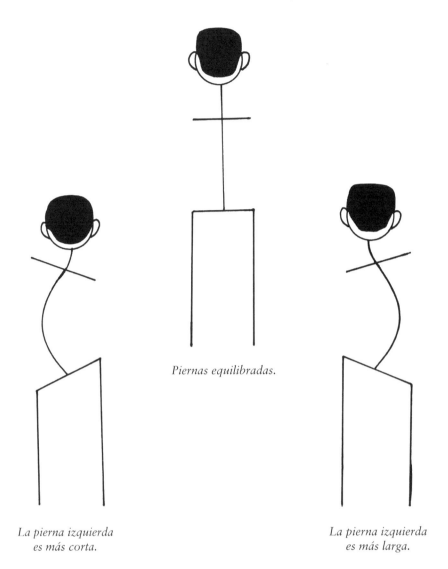

Piernas equilibradas.

*La pierna izquierda
es más corta.*

*La pierna izquierda
es más larga.*

daño estructural que puede estar causado por un accidente, ejercicio o algún hábito que tiene por consecuencia la desalineación de las vértebras. Evidentemente un accidente o lesión puede producir una desalineación de la columna, lo cual es causa de dolor. Tendrá que ver a un médico o quiropractor para determinar el grado del dolor. Muchas veces el ejercicio, la quiropraxis, Ohashiatsu o el masaje shiatsu puede ser muy útil para controlar el dolor e incluso corregir el daño causado por la lesión. Pero la lesión ha de diagnosticarla exactamente un médico o algún otro profesional para que usted sepa el tratamiento correcto.

El ejercicio y diversos hábitos, como son la postura o la forma de caminar, por ejemplo, pueden desarrollar los músculos de modo desequilibrado. Un lado del cuerpo puede estar tenso y contraído y el otro suelto y expandido. Esto impone diferentes tensiones a la columna. Un conjunto de músculos tira con demasiada fuerza mientras que el otro se mantiene relajado y aflojado.

El tenis es uno de muchos juegos que refuerzan el mismo desequilibrio cada vez que se juega. No es mi intención criticar el tenis, que es un juego fabuloso, pero exige que un lado del cuerpo realice un movimiento exagerado en comparación con el otro lado. Para compensar esto es necesario hacer ejercicios que fortalezcan el lado menos usado. Si usted hace un deporte como el tenis y juega con la mano derecha, deberá hacer ejercicios destinados a fortalecer y coordinar también el lado izquierdo. Es muy importante hacer ejercicios de calentamiento antes de jugar cualquier juego que tenga un desequilibrio izquierda-derecha. Si sale a jugar antes de que el cuerpo esté suelto y preparado, ejercitará un lado del cuerpo a una velocidad mucho mayor que el otro, exagerando más aún el desequilibrio.

Ohashiatsu, la quiropraxis y el masaje shiatsu pueden armonizar el desequilibrio y aliviar el tipo de dolor de espalda producido por ese desequilibrio.

La segunda causa del dolor de espalda es un desequilibrio en los órganos internos, sobre todo el hígado, la vesícula biliar, el corazón, el bazo o los riñones. Si un órgano está inflamado, demasiado tenso o débil, afectará a la columna. Por ejemplo, es posible que el hígado se hinche o expanda por comer demasiados dulces o beber demasiado alcohol. Cuando el órgano se hincha, presiona los músculos y vértebras, causando una desalineación de la columna. Lo mismo puede ocurrir con el estómago, bazo o vesícula biliar.

Además, el ki, o fuerza vital, se queda estancado en esos órganos hinchados o con problemas, produciendo obstrucciones de ki que impiden que esa determinada parte del cuerpo reciba la adecuada nutrición de fuerza vital. Si el ki se debilita en el hígado, todos los músculos que rodean el hígado y la espalda están hambrientos de ki, por lo tanto la integridad del cuerpo disminuye y hay poca cantidad de ki que sustente la columna.

La mayoría de los dolores de la baja espalda tienen que ver de alguna manera con los riñones. Estos suelen debilitarse a causa de la dieta y de comportamientos habituales mencionados anteriormente. Los riñones debilitados y la zona inferior dejan de apoyar a esa parte vital de la espalda y la columna. Cuando los riñones están obstruidos por grasa, sal, colesterol y estrés, disminuye la cantidad de ki que llega a los órganos y la parte baja de la espalda. Esto reduce el flujo de ki que va a la columna, produciendo degeneración de las vértebras y los músculos que sostienen la espalda. Poco a poco se va produciendo la degeneración de los músculos, baja espalda y columna, causando dolor y el malestar de la baja espalda que es tan corriente en la actualidad.

La tercera causa del dolor de espalda es la emoción. La emoción puede considerarse como un aumento de energía o ki. El miedo, la rabia, la aflicción, la felicidad y otras emociones poseen diversos grados de energía, según sea su intensidad. El cuerpo disfruta o sufre en cada uno de estos estados. En todos los casos, sin embargo, debe hacer algo con la energía resultante de nuestra vida emocional. Con frecuencia guardamos esta

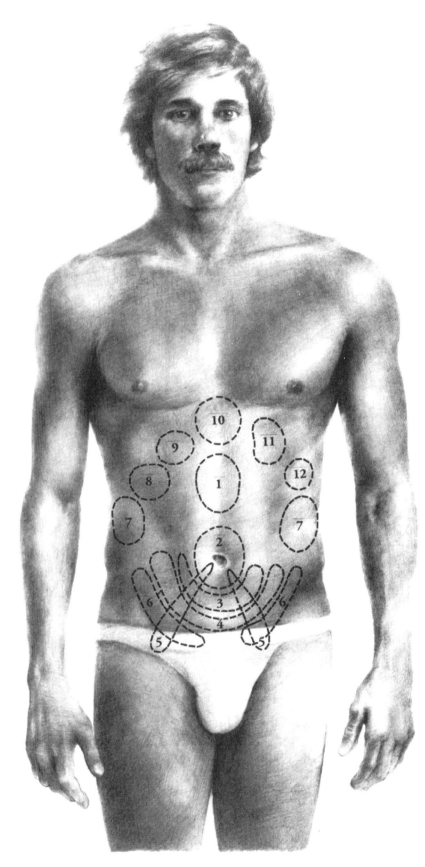

Puntos meridianos:
1) constrictor del corazón,
2) bazo, 3) riñón,
4) vejiga, 5) intestino delgado,
6) intestino grueso, 7) pulmón,
8) hígado, 9) vesícula biliar,
10) corazón, 11) estómago,
12) triple calentador.

energía en diversos órganos o la reprimimos en los hombros y la espalda, donde se acumula en forma de tensión y músculos anudados. Cada uno de nosotros ha desarrollado el hábito de colocar su tensión en distintas partes del cuerpo; el hígado, el estómago, los riñones, los hombros y la espalda son los lugares donde comúnmente se almacena tensión. Esta tensión deforma los órganos y el propio cuerpo, y afecta a la columna.

Aplicando la teoría de las Cinco Transformaciones de que hablamos en el capítulo 3, podemos ver cuáles son los órganos con más problemas por el tipo de emoción que domina a la persona a la que queremos ayudar a sanar. Si la emoción es la rabia, el hígado y la vesícula biliar son los que tienen más problema; si hay dolor de espalda, es probable que esté localizado en medio de la espalda. Si la persona está afligida o triste, los pulmones y el intestino grueso son los más afectados; el dolor de espalda es más fuerte justo por debajo de los hombros. Si hay miedo o melancolía, los riñones están afectados; en este caso está afectada la parte baja de la espalda y con frecuencia el dolor estará localizado allí. Si hay demasiada compasión o debilidad de carácter, suele ser el bazo el que está afectado; palpe en la mitad de la espalda en el lado derecho para ver si hay inflamación o molestia allí. Si es el corazón el afectado, la persona puede estar exageradamente emotiva e incluso histérica; puede estar afectado el centro de la espalda, en la zona del corazón.

En la diagnosis oriental, hay diversos puntos en la parte delantera del cuerpo y de la espalda llamados puntos Bo y puntos Yu. Los puntos Bo, que se encuentran en la parte delantera del cuerpo, están situados en diversos meridianos. Los puntos Yu están todos alineados en el meridiano de la vejiga a lo largo de la columna vertebral (véase cuadro). En general, el dolor o molestia en los puntos Bo indican problemas agudos y requieren atención inmediata. El dolor en cualquiera de los puntos Yu indica un problema más crónico.

El cuadro revela cuáles órganos están causando dolor o molestia ya sea en puntos Bo o Yu. Si el dolor se produce en la parte delantera, es un punto Bo; si es en la espalda, es un punto Yu. El dolor o molestia en la parte superior del cuerpo (por delante o por detrás) bajo la clavícula y encima de la zona del corazón, generalmente está causado por un problema en los pulmones. El dolor en el centro del pecho o espalda significa un problema en el corazón. Bajo la zona del corazón al lado derecho del cuerpo está la zona del hígado y la vesícula biliar. En el lado izquierdo, el estómago. En el centro está el bazo. Justo debajo de la zona del bazo, a ambos lados del cuerpo, está la franja de los riñones. Debajo de los riñones está el intestino delgado, y bajo éste, el intestino grueso.

Si hay dolor de espalda en cualquiera de estos puntos Yu, el órgano correspondiente está sufriendo de degeneración crónica. Se hacen necesarios un cambio de dieta y ejercicios. Ohashiatsu y otros ejercicios para equilibrar el ki deberán formar parte de la terapia.

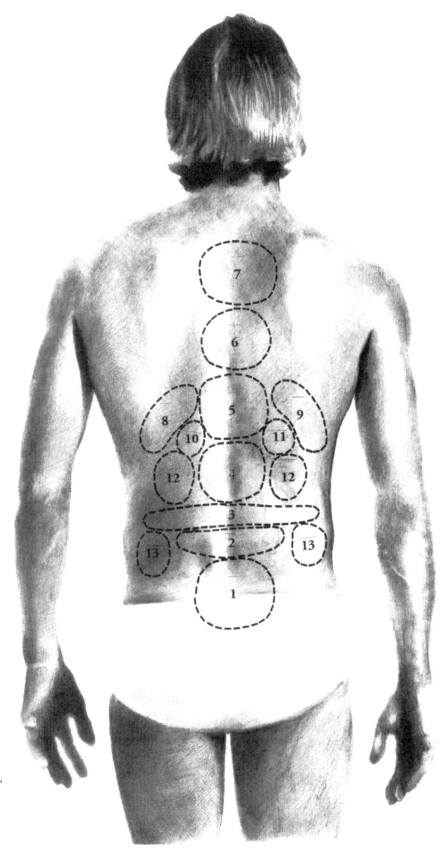

Puntos meridianos:
1) vejiga, 2) riñón,
3) intestino delgado, 4) bazo,
5) constrictor del corazón, 6) corazón,
7) pulmón, 8) estómago,
9) hígado, 10) triple calentador,
11) vesícula biliar, 12) riñón,
13) intestino grueso.

Si el dolor es delante, en los puntos Bo, la persona deberá hacer cambios inmediatos en la dieta y estilo de vida, deberá hacer ejercicios y consultar a un médico o sanador experimentado para que trate las exigencias más inmediatas del problema.

Puede ser muy eficaz una forma de diagnosis que emplea los puntos Yu y se llama diagnosis del rascado. Pídale a la persona que se levante o se quite la camisa para que quede al descubierto la columna. Rasque ligeramente con las uñas de los dos pulgares a lo largo de los lados derecho e izquierdo de la columna, a lo largo del meridiano de la vejiga, manteniendo constante la presión para que las líneas no se interrumpan. Deberán aparecer dos leves líneas rojas. Si las líneas están interrumpidas o son de color blanco o gris, eso indica estancamiento o carencia de ki en los órganos correspondientes a ese determinado punto Yu. Por ejemplo, supongamos que no aparece ninguna línea roja en el centro de la espalda al lado derecho. Eso indicaría que hay algún problema en el hígado. Pídale a la persona que se ponga de pie. Examine la zona y compare su tamaño y forma con el lado izquierdo. ¿Está inflamado o hundido? Eso indica que hay algún desequilibrio en el hígado y que eso es la posible causa del dolor.

Con frecuencia aparecen vellos en diversas partes de la espalda y parte delantera del cuerpo. Lo ideal es que no crezcan vellos en la espalda de los seres humanos. El vello en lugares donde normalmente no se produce pelo indica estancamiento de sangre, acumulación de proteínas y grasas, y exceso de mucosidad. Vea dónde crece vello y compruebe a qué puntos Yu y órganos corresponde el lugar. Si el vello está en el punto Yu de los pulmones, indica un problema en los pulmones, debido posiblemente al tabaco y al consumo de demasiados productos lácteos u otros alimentos grasos. Si hay vello en la parte baja de la espalda, alrededor o bajo la zona de los riñones, significa que hay demasiada mucosidad y estancamiento de sangre en los órganos reproductores y riñones.

Para diagnosticar a una persona por la espalda es necesario percibir la atmósfera de su espalda. Hay tantas posturas, tantas formas de espalda que se podría escribir todo un libro acerca de ese aspecto del cuerpo. Examinemos algunos de los ejemplos más comunes.

En general, hay espaldas que se inclinan hacia delante, espaldas rectas y espaldas que se inclinan ligeramente hacia atrás.

Las personas que caminan con la parte superior del cuerpo inclinada hacia delante son más yang, es decir, más agresivas, masculinas y emprendedoras. Tienden a ser independientes y más rápidas para hacer las cosas.

Cuanto más visiblemente inclinada hacia delante es la persona, más tozuda será. Por lo general, estas personas saben lo que quieren y trabajan por conseguirlo. Tienen dificultad para seguir los consejos de los demás. A estas personas es mejor indicarles una dirección general y dejarlas que

sigan a partir de allí. De todos modos no van a hacer caso una vez que han comenzado a caminar. Cuesta muchísimo desviar de su camino a estas personas, o cambiar su manera de pensar.

Las personas que inclinan el cuerpo hacia delante tienen problemas en el corazón e intestinos. El corazón sufre de arteriosclerosis y falta de oxígeno. El intestino delgado está demasiado contraído y el intestino grueso demasiado expandido. Estas personas suelen tener prisas y tienden a comer de carrera. Consiguientemente tienen problemas de digestión. En general, tienen problema para sentirse adecuadamente nutridos en muchos aspectos, física y psicológicamente. La función del intestino delgado es asimilar los elementos nutritivos de los alimentos y entregárselos a la sangre. La función más abstracta del intestino delgado es extraer lo bueno y necesario de la vida y el entorno y hacérnoslo accesible como nutrición. Cuando el intestino delgado está demasiado contraído, no puede asimilar suficiente nutrición de lo que comemos y también está reducido su papel más abstracto de nutrir nuestra vida. Así pues, nos sentimos poco nutridos y poco amados.

Estas personas deberían hacer ejercicios que estiren los brazos y la mitad del cuerpo hacia fuera y hacia arriba. Deberían comer más verduras de hoja verde, que proporcionan mucho oxígeno y una energía más expansiva al cuerpo. Deben aprender a respirar profundamente hacia el hara o hacia las partes inferiores del cuerpo, y pasar más tiempo en la naturaleza. Deben relajarse y sentir cómo entra en su cuerpo la fuerza vital o ki, produciendo expansión y relajación.

Algunas personas caminan con la espalda encorvada, los hombros inclinados pesadamente hacia delante. Son personas agresivas y prestas a la violencia. No cuesta mucho hacerlas estallar. En realidad crean conflictos dondequiera que vayan. Sus cuerpos reflejan su manera de pensar: están constantemente alertas para crear problemas. En los hombros y columna llevan considerable tensión, lo que indica problemas en los pulmones e intestino grueso. En esos órganos hay mucha rabia y furia reprimidas. Se recomiendan cereales integrales, sobre todo arroz, verduras de hoja verde y raíz de jengibre rallada con las verduras y sopas. También deberían disfrutar de mucho ejercicio físico para desahogar la rabia y relajarse.

Otras personas, sobre todo muchas mujeres, caminan con la espalda muy recta (lo cual podría deberse a los zapatos de tacón alto). La espalda recta es buen signo. Revela una actitud sincera y positiva hacia el mundo. Cuando vea a una persona caminando por la calle con la espalda erguida, observe dónde tiene el centro de gravedad. ¿Lo tiene alto, en el corazón, o ligeramente debajo del plexo solar, o bajo, en el abdomen? Se puede saber dónde está el centro de gravedad observando los hombros. Si los hombros están echados hacia atrás (sacando pecho) y hacia arriba, el centro de gravedad está alto. Los hombros relajados tienden a asentarse cómodamente en el centro. Por lo tanto, el peso del cuerpo cae naturalmente hacia el hara.

Una espalda recta con el centro de gravedad alto denota una naturaleza honrada, pero con cierta tendencia a la emoción excesiva. Cuando el centro de gravedad está en el corazón, la respiración es superficial y la persona se emociona fácilmente. Esta persona puede carecer de la voluntad y empuje para ocuparse de hacer realidad sus sueños.

Cuanto más hacia atrás se inclina la columna, mayor es la tendencia al elitismo y el orgullo. Esta persona se mantiene distanciada del mundo y con demasiada facilidad critica a los demás.

Una espalda recta con el centro de gravedad bajo indica una persona de principios y de fuerte voluntad. La cabeza reposa bien equilibrada sobre los hombros; los hombros están relajados y al mismo nivel. El peso de la parte superior del cuerpo parece descansar en las caderas, y sin embargo no hay tensión en las piernas.

Esa es una personalidad integrada. La persona tiene determinación y una visión clarividente del mundo. Estas personas no suelen ser ilusas sino muy realistas y de ideales nobles. Es probable que tengan grandes ambiciones y se puede confiar en que realizarán sus cometidos.

En cuanto a la fuerza real, muchos consideran la espalda la parte más fuerte del cuerpo humano. Pero para un número creciente de personas, la espalda se está haciendo cada día más débil y dolorosa. La razón es sencilla. A pesar de su enorme fuerza, la espalda es el lugar donde más se nota la dependencia del cuerpo. Es en realidad un puente suspendido, el lugar donde convergen muchos órganos y músculos para crear salud o enfermedad. Desequilibre un grupo de órganos o músculos y ya tiene un puente ladeado, y mucho dolor. Restablezca el equilibrio y la armonía entre los órganos y músculos y tendrá una espalda que puede soportar el peso del mundo, y con mucha alegría.

6

Las manos y los brazos

LAS MANOS SE ENCUENTRAN entre las posesiones más hermosas e importantes del ser humano. Cuando el hombre adoptó la postura erecta, liberó sus manos del trabajo de caminar y comenzó a usarlas para tareas más elevadas. Pero fue el desarrollo del pulgar oponible el que realmente nos liberó. Con el desarrollo del pulgar oponible nos fue dado el poder de manejar y manipular el mundo físico. Todo se nos hizo posible: desde sujetar un pluma para escribir, a coger un martillo, por no decir nada del invento de estos dos instrumentos.

Hemos creado grandes edificios en todo el mundo, y todo ha sido hecho con nuestras manos. Las manos están relacionadas con la creación. En la Capilla Sixtina, la obra maestra de Miguel Ángel, Dios extiende su mano a Adán, y con este gesto le concede una porción de divinidad al darle el poder de la creatividad.

Lo que imaginamos con la mente lo creamos con las manos. Por lo tanto, las manos y el cerebro han sido complementarios desde hace muchísimo tiempo. El cerebro imagina el mundo; las manos hacen realidad esa visión.

Un ataque de apoplejía suele afectar al uso de las manos. Esto quiere decir que cuando disminuye la capacidad cerebral, también disminuye la movilidad de nuestras manos. Esto mismo se observa en las personas que sufren de senilidad. Es costumbre en Japón que, en los centros de convalecencia y residencias de ancianos, las personas mayores practiquen el origami, el arte de plegar el papel, para evitar los problemas de la senilidad y mantenerse alerta mentalmente.

Y a la inversa, los niños que usan mucho los dedos desarrollan el cerebro con más rapidez. Esto es particularmente cierto de los niños que estudian algún instrumento musical que exige destreza de los dedos, como el piano, por ejemplo. Esto favorece el desarrollo del cerebro y sistema nervioso.

Normalmente usamos las manos para que nos ayuden a expresar los pensamientos y, muchas veces, para influir en los demás. Los políticos saben esto muy bien. Cada vez que escuchábamos un discurso del presidente George Bush o del vicepresidente Dan Quayle, podíamos observar el estudiado uso de las manos, para comunicar su liderazgo y dar seguridad a las personas que lo estaban mirando. Las manos también compensan nuestra incapacidad para expresarlo todo con palabras. Los gestos de las manos son más animados cuando estamos frustrados (levantamos las manos al cielo para expresar desesperación, por ejemplo) o enfadados. Las manos también se usan para distraer la atención de lo que se dice, tal vez para que no notemos la vacuidad de las palabras o la importancia de su significado. Un gesto con la mano puede reforzar una afirmación; una persona golpea la mesa con la mano o se golpea la palma con el puño cerrado de la otra. O el orador u oradora puede tranquilizarnos o distraernos con gestos más alentadores para disminuir el peso o la energía de las palabras que dice.

Hemos de reconocer lo que trata de decirnos la persona con sus manos cuando habla con nosotros. Las manos se usan de modo consciente e inconsciente, por lo tanto debemos estar atentos a ambos usos.

En diagnosis oriental vemos las manos de una manera muy diferente de, digamos, la manera como las ve un estudiante de anatomía. Todo en ellas posee un profundo significado personal: la palma, el metacarpo, el pulgar y los dedos. Revelan el ser interior de la persona de modo similar a como lo revela su cara. Veámoslo con más detalle.

Para empezar, las manos son una estación terminal de los meridianos de acupuntura. Estos meridianos, seis en total, bajan por el brazo y entran en la mano y los dedos. La energía desciende por los brazos, pasa por las manos y dedos y sale del cuerpo. Los dedos, por lo tanto, son puntos de descarga, o salidas, para la energía procedente del cuerpo. Con mucha frecuencia, los desechos que no se pueden eliminar por las vías normales –los intestinos, la orina, la respiración o la piel–, se canalizan por los dedos, donde crean diversos problemas, entre ellos llagas, uñas encamadas, padrastros, infecciones y artritis.

Es bastante común la aparición de verrugas en los dedos. Según la medicina oriental, constituyen una descarga del exceso de proteínas y grasas de origen animal. Cuando aparece una verruga en un determinado dedo, significa que esas proteínas y grasas se están descargando de la parte del cuerpo correspondiente.

Extienda uno de sus brazos de modo que la palma y el lado interior del brazo queden mirando hacia usted. Tres meridianos discurren por el lado interior del brazo y siguen hacia los dedos. Por el borde superior del interior del brazo pasa el meridiano del pulmón; continúa por el medio del músculo grande de la base del pulgar y entra en el pulgar (véase pág. 99). Los problemas que aparecen en el pulgar, por lo tanto, podrían indicar problema en los pulmones.

Muchas veces se observa que el músculo grande de la base del pulgar comienza a volverse azul o rojo. Cuando está azulado, el pulmón de ese lado está inactivo. La sangre y el ki están atrapados en el pulmón y hay poco movimiento. El dióxido de carbono se está acumulando en los alvéolos, que son los diminutos sacos donde la sangre interacciona con el oxígeno.

El color azul en el pulgar también indica frialdad, lo cual favorece aún más la acumulación de sangre y energía en ese meridiano y en el pulmón. Una persona que tenga el músculo del pulgar azul tal vez está deprimida, o muy triste y afligida por la pérdida de una amistad.

Los pulmones extraen el oxígeno del aire inspirado, lo envían a la sangre y extraen de ésta el dióxido de carbono. Después, con la espiración, expulsan el dióxido de carbono al aire. Según la diagnosis oriental, los

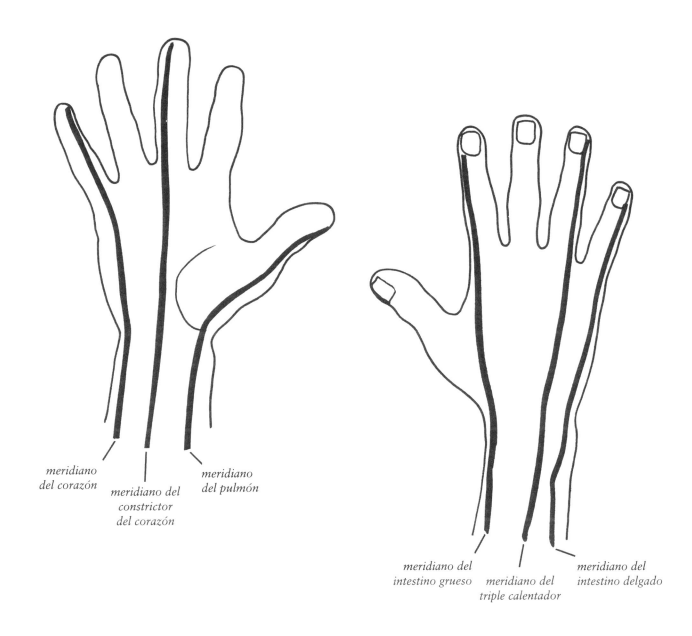

meridiano del corazón

meridiano del constrictor del corazón

meridiano del pulmón

meridiano del intestino grueso

meridiano del triple calentador

meridiano del intestino delgado

pulmones son los recipientes del ki. Vivimos en un mundo de energía que nos rodea por todas partes y que también está en nuestro interior. Respiramos esta energía en forma de aire y ki, y los hacemos accesibles a nuestra sangre y células.

Cuando hay problema en los pulmones, disminuye nuestra capacidad para inspirar oxígeno y ki. Por consiguiente, es más débil la fuerza vital, en la forma de ki y de oxígeno. Percibimos nuestro estado debilitado. Mientras tanto, los problemas parecen aumentar, y nos deprimimos al pensar en lo que puede ocurrir. Si estamos deprimidos, debemos fortalecer nuestros pulmones y hacer más respiraciones profundas.

Cuando vea un pulgar de color azul, recomiende a la persona que deje de tomar todo tipo de productos lácteos, alimentos grasos y, sobre todo, azúcar, incluidas las frutas crudas y zumos de fruta. El azúcar y los azúcares de los zumos dañan los pulmones, son una de las principales causas de neumonía. Pregúntele amablemente a la persona si toma drogas o fármacos. Si la persona consume drogas sólo por diversión, sugiérale que el problema de los pulmones está relacionado con ese consumo e ínstela respetuosamente a que deje de consumir cualquier tipo de drogas. También deberá comer mucha verdura de hoja verde, raíz de jengibre rallado en las verduras, y arroz integral hervido en olla a presión. Estos alimentos contribuyen a restablecer la buena circulación y actividad en los pulmones.

La persona deberá hacer más ejercicio físico activo, sobre todo ejercicios aeróbicos, como montar en bicicleta, correr, saltar abriendo brazos y piernas, y hacer caminatas enérgicas. Esto estimula la respiración profunda y elimina el dióxido de carbono acumulado. Al mismo tiempo hace que la sangre circule más rápidamente por los pulmones, oxigenándolos a fondo y despejando la congestión. Poco a poco, la depresión emocional desaparecerá y la persona se volverá a sentir más fuerte y vital.

Cuando el pulgar o el músculo está rojo, hay una concentración de lo que los sanadores orientales llaman energía del fuego en los pulmones. La causa es la emoción excesiva, demasiados condimentos y una ambición que no es apropiada en las circunstancias actuales de la persona. Tenemos tendencia a desear que las cosas vayan más rápido de lo que van. Cuando vea rojez en el pulgar, pregúntele a la persona si ha tenido una alteración emocional reciente o si tiene mal genio. Pregúntele si ha tenido alguna frustración o si se ha sentido más estresada de lo normal.

Recomiéndele la misma dieta que para el color azul del pulgar, pero también ínstela a que evite todas las especias, alimentos picantes, pimientos y licor. La persona que tiene ardientes los pulmones deberá caminar y pasear más. Deberá relajar la tensión y la ansiedad pasando más tiempo en la naturaleza. Son necesarias más actividades relajadoras, como la oración, la meditación en silencio y escuchar música apacible de compositores clásicos. Las personas con energía de fuego en los pulmones deben aprender a desvincularse más de su vida y a apreciar la belleza que las rodea y la de su interior. Deberán tratar de no identificarse tanto con sus ambiciones.

A veces hay una rojez o hinchazón a lo largo de la cutícula o de los bordes derecho e izquierdo de la uña. Eso indica una descarga del pulmón causada por un exceso de alimentos yin o por drogas. Una persona que tenga esa rojez o hinchazón deberá seguir las mismas recomendaciones dadas en los párrafos anteriores y evitar el azúcar y los fármacos.

Los padrastros son síntomas de extremos en la comida y en los estados emocionales, como demasiada pasión, frustración o rabia. Una persona que tiene un padrastro deberá tratar de equilibrar su dieta y su vida emocional siguiendo las recomendaciones dadas aquí.

De vez en cuando se ven protuberancias o erupciones en la piel del pulgar. Si estas erupciones son blancas, están causadas por la eliminación de productos lácteos y grasas animales del pulmón que corresponde a ese lado del cuerpo. Si las erupciones son rojas, están causadas por exceso de azúcar, fruta, zumo de fruta, especias y, posiblemente, algún tipo de droga.

Finalmente, para llevar más energía a los pulmones conviene frotarse el músculo grande de la base del pulgar y también darse masaje en el propio pulgar. En el centro del músculo del pulgar está el punto de fuego del meridiano del pulmón. Si se siente deprimido, estimúlese profundamente ese punto. Eso llevará más ki a los pulmones y favorecerá la circulación sanguínea. Si tiene algo de rojez en el músculo, dé un suave masaje a ese punto y visualice cómo se dispersa y sale del cuerpo el exceso de energía. Cójase el pulgar con la otra mano y hágalo rotar en el sentido de las manecillas del reloj durante unos minutos. Después haga rotar el otro.

Por el medio del lado interior del brazo pasa el meridiano del constrictor del corazón (véase pág. 106), que controla la circulación de la energía y la sangre, y baja por el centro de la mano hasta la punta del dedo medio.

En el lado interior del brazo, a unos cinco centímetros más arriba de las arrugas de la muñeca, hay un punto excelente para estimular la circulación. Presione profundamente ese punto y sentirá una especie de sensación eléctrica. También es posible que sienta un cierto dolor. Haga ese masaje en ambos brazos.

La etimología de las palabras siempre revela algún sentido psicológico sutil. A veces usamos las palabras y sus asociaciones sin saber conscientemente sus significados más sutiles. Lo mismo puede decirse del conocimiento más profundo e inconsciente de nuestro cuerpo. El dedo medio siempre se ha asociado con la sexualidad; curiosamente, este dedo es el receptor de la energía sexual que fluye por el meridiano del constrictor del corazón y baja por el centro del brazo hasta el dedo medio.

Para fortalecer la energía ki de los órganos sexuales y mejorar la circulación, haga rotar el dedo medio durante varios minutos, en ambos sentidos. Estire suavemente el dedo, dándole un rápido tirón y soltándolo. Esto va a liberar la energía estancada en el meridiano y contribuirá a aumentar la circulación y la energía sexual.

Por el borde inferior del lado interior del brazo pasa el meridiano del corazón, que llega hasta el dedo meñique, fluye por la parte interior de éste, y al llegar a la yema dobla hacia arriba para terminar bajo la uña (véase pág. 103). Cuando hay rojez en la cutícula o en los bordes de la uña del dedo meñique, quiere decir que el cuerpo está descargando exceso de energía de la zona del corazón. Mírese las yemas de los dedos, sobre todo del meñique. Si las yemas están rojas significa que el cuerpo está intentando eliminar exceso de energía de los dedos. Si la yema del dedo meñique está roja, el corazón está excesivamente estimulado. Esto suele producirse por el consumo excesivo de estimulantes, sobre todo de cafeína y alimentos condimentados.

Es posible que una persona enferma del corazón se queje de rigidez o adormecimiento del dedo meñique, lo cual indica peligro de infarto o embolia. Hay un punto importante del meridiano del corazón en la yema del dedo meñique. Presione profundamente ese punto para estimular el meridiano del corazón, sobre todo si hay algún tipo de trastorno cardiaco, como por ejemplo angina de pecho o aterosclerosis. Al dar masaje a ese punto en ambas manos, se estimula el corazón con ki. (Esta manipulación puede servir para establecer una salud mejor, pero no es sustituto de una dieta más sana ni de un sensato estilo de vida.)

Ahora gire el brazo de modo que quede mirando el dorso. En el dorso del brazo hay otros tres meridianos: los del intestino grueso, el triple calentador y el intestino delgado.

El meridiano del intestino grueso (véase pág. 100) nace en el dedo índice, sube por el brazo, pasa por el codo y parte superior del hombro, sigue hasta el costado de la boca y llega hasta un punto donde se encuentra la ventanilla de la nariz con la cara. En la mano, pasa por el dorso, por encima del músculo que sobresale cuando se juntan los dedos pulgar e índice.

En general, a los puntos de acupuntura se los llama *tsubos*. Hay un importante tsubo directamente en el centro de ese músculo grande situado entre los dedos pulgar e índice, en el dorso de la mano. Este punto se llama Go Ko Ku. Presione ese punto hundiendo la yema del pulgar en el músculo y dando un masaje hasta encontrar el «lugar caliente», es decir, donde hay la mayor sensibilidad. Cuando haya localizado el punto va a sentir una especie de sensación eléctrica y, según cuál sea la salud de su intestino, tal vez un grado de dolor. Un dolor agudo significa que hay energía atrapada en el intestino grueso; puede haber estancamiento y estreñimiento. Sin embargo, las personas que sufren de diarrea también pueden sentir bastante dolor al presionar ese punto. Presione profundamente el punto con un movimiento circular en sentido de las manecillas del reloj. Esto va a tonificar el meridiano y el intestino grueso, restableciendo la armonía.

Aveces este punto podrá mostrar mucha sensibilidad en una mano mientras que en la otra no se siente ningún dolor. Eso significa que el lado doloroso tiene mucho ki estancado, en tanto que el lado insensible carece de energía. Dé masaje a ambos lados para llevar equilibrio al meridiano del intestino grueso.

*Presione el punto situado entre
los dedos pulgar e índice.
Una sensación de dureza
y tensión puede indicar
problemas intestinales.*

El masaje de este punto es también bueno para provocar movimientos de vientre. El Go Ko Ku es casi milagroso para estimular el intestino grueso y así eliminar desechos. Go Ko Ku también produce cierto equilibrio a todo el organismo. Siempre que se sienta mal o débil, siéntese en un lugar tranquilo y presiónese el punto Go Ko Ku: eso le producirá un cierto grado de estabilidad a todo el organismo. Yo también me presiono ese punto cuando me están realizando un trabajo dental, para sentir menos dolor.

Es muy importante dar siempre el masaje en los puntos de ambos lados del cuerpo. Lo que intentamos es crear equilibrio, por lo que estimulamos o relajamos ambos lados del cuerpo equitativamente.

Por el medio del dorso del brazo pasa el meridiano del triple calentador (véase p. 106). Como dije en el capítulo 3, controla la energía de las tres partes principales del tórax: la parte superior, que corresponde al corazón y los pulmones; la parte media, que corresponde al estómago, bazo y páncreas, y la parte inferior, que corresponde a los intestinos y órganos sexuales.

El meridiano del triple calentador fluye por el dorso de la mano y entra en el dedo anular. Está asociado con el corazón y con la unidad conjunta de cuerpo, mente y espíritu; yo creo que por ese motivo llevamos en ese dedo el anillo de matrimonio.

Ocasionalmente se ven personas mayores que sacuden la cabeza hacia arriba y hacia abajo cuando hablan. Puede haber varias causas de ese movimiento; entre otras, la enfermedad de Parkinson. Otra causa podría ser un desequilibrio en el meridiano del triple calentador; los tres centros de energía no están coordinados. Uno de ellos, tal vez el centro del corazón, está estimulado en exceso: hay demasiada energía allí. Uno o los dos restantes, generalmente los intestinos, están más débiles. El exceso de energía en el corazón es causa de excesiva estimulación del sistema nervioso, lo cual es a su vez causa de ese movimiento de la cabeza.

Los remedios recomendados son ejercicio, Ohashiatsu y un cambio a una dieta más equilibrada que mejore el estado de los intestinos y disminuya la energía que rodea al corazón.

Para equilibrar las energías del triple calentador, estimule el dedo anular rotándolo, como expliqué anteriormente, en ambos sentidos, y estirándolo con un suave tirón y para soltarlo después.

Finalmente, hay dos meridianos localizados en el dedo meñique: el del corazón, explicado anteriormente, y el del intestino delgado.

El meridiano del intestino delgado nace en la uña del dedo meñique, sube por el dorso del brazo, llega al omóplato, y desde allí sube por la espalda y cuello hasta un punto al lado de la cara situado delante del conducto auditivo (véase pág. 104). Las erupciones de la piel allí podrían indicar congestión y estancamiento en el meridiano del intestino delgado.

De vez en cuando, la almohadilla o músculo del borde de la mano bajo el dedo meñique está excesivamente roja. Eso significa que hay estancamiento de sangre en los meridianos del intestino delgado y del corazón. Probablemente la persona tiene dificultad para nutrirse adecuadamente en la vida. Por lo que toca a la digestión, ese color rojo significa que la asimilación de los elementos nutritivos está obstaculizada. Observe el labio inferior: ¿está demasiado tirante o hinchado? Si está tirante, indica que el intestino delgado está demasiado contraído; la sangre está atrapada y hay poca circulación. La persona necesita hacer más ejercicios que le estiren la parte central del cuerpo y le aumenten la circulación hacia el intestino delgado. La dieta deberá ser más yin, es decir más ligera, más mojada, con menos pastas horneadas. Esta persona deberá evitar la carne roja, los alimentos grasos y la excesiva cantidad de aceite, mientras no mejore el trastorno.

Si el labio inferior está hinchado, quiere decir que el intestino delgado está expandido y débil. Según cual sea la salud general de la persona, podrá comer más cereales y alimentos de cocción más larga, como las legumbres.

Un maravilloso ejercicio para las manos es sacudirlas vigorosamente durante unos minutos. Eso aumenta el ki a lo largo de los meridianos que pasan por las manos y mejora la circulación.

Veamos la relación entre los dedos y las palmas.

Si la palma es más larga que los dedos, eso indica que la persona trabaja más prácticamente y menos intelectualmente. Esto es especialmente cierto si la palma es grande y cuadrada y los dedos cortos y anchos. Los dedos cortos y anchos indican capacidad de constructor, carpintero o mecánico. La persona con esos dedos entiende cómo funcionan las cosas.

Las manos cuadradas indican falta de interés por los asuntos intelectuales y preferencia por los placeres elementales y sencillos. La persona que tiene esas manos disfruta con la conversación sin complicaciones, y es franca, incluso brusca; tiene una actitud sin adornos ante la vida. Estas personas son más físicas que mentales; son amantes de la comida abundante y comen sin discriminación. Mi consejo es que se guarden de abusar de su corazón y de su sistema nervioso, sobre todo con alimentos grasos y aceitosos y con carne.

Las personas cuyos dedos son más largos que la palma son muy intelectuales y tienen marcadas capacidades mentales. Tienden a ser más amables, pasivas y artísticas. Son selectivas en sus gustos, sobre todo el tipo de actividades que les gustan (se inclinan por las artes) y el tipo de alimento que comen. He notado que pueden ser muy melindrosas para comer, y que disfrutan especialmente del vino y los dulces.

Las personas que tienen la palma y los dedos de igual longitud tienden a tener naturalezas más equilibradas, es decir saben disfrutar tanto de las actividades físicas como de las mentales. Sus naturalezas equilibradas las llevan invariablemente a trabajos de oficina, o a cargos de liderazgo en empleos de trabajo intensivo.

En general, cuanto más cuadrada es la mano, más fuerte es la constitución. Cuanto más estrecha y puntiaguda es la mano, más delicada es la constitución.

Las manos indican lo flexible que son nuestras mentes y cuerpos. Hagamos un ejercicio para ver lo flexibles que son nuestras manos. Coloque las manos juntas en posición de oración delante del pecho. Con los dedos de ambas manos tocándose, separe lentamente las palmas. Los dedos y las palmas deberán formar un ángulo recto. Es decir, las palmas deberán estar en posición horizontal y los dedos en posición vertical, sin dejar de tocarse.

Si puede hacer este ejercicio, tiene una flexibilidad razonablemente buena de manos, mente y cuerpo.

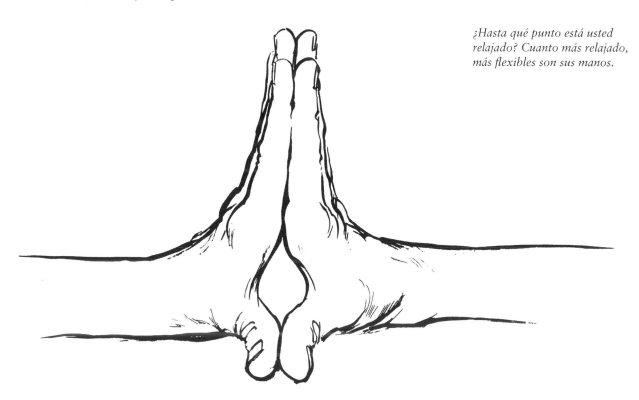

¿Hasta qué punto está usted relajado? Cuanto más relajado, más flexibles son sus manos.

Uña triangular: constitución yin.

Las manos flexibles denotan a una persona que está abierta a diversas opiniones y que tiene un intelecto flexible. Normalmente estas personas son creativas y les resulta fácil sortear los obstáculos que se encuentran en su camino. Sus relaciones son menos conflictivas y menos tensas.

Las manos con poca flexibilidad o rígidas denotan a una persona conceptual, tal vez rígida e incluso terca. Si las manos son inflexibles y fuertes, a la persona no le importa lanzarse de cabeza contra los obstáculos y luchará por hacer valer sus principios. Las personas que tienen manos fuertes e inflexibles tienden a ser desafiantes cuando les parece necesario, lo cual suele sucederles con más frecuencia de la conveniente.

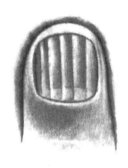

Estrías verticales: problema hepático.

Uña acucharada: anemia, presión arterial baja.

Uña redonda: constitution yang.

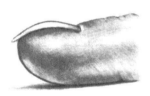

Uña curvada: problema de pulmones y respiración.

Uña cuadrada: presión arterial alta, constitución fuerte.

Presiónese la uña y compruebe con qué rapidez vuelve el color rojo. Cuanto más rápido vuelve, mejor es la circulación.

Protuberancia transversal: lombrices en el intestino.

Grieta o surco transversal: desnutrición, mala digestión.

7

Los pies

COMO YA DIJE EN EL CAPÍTULO 1, parte del éxito en la práctica de la diagnosis oriental depende de la habilidad para examinar a las personas sin hacerlas sentir incómodas. Hay que lograr que la persona se sienta relajada si queremos que se nos revele. Suele haber personas que hacen todo un espectáculo de expresiones faciales y gestos con las manos, en un intento consciente de impedir que uno vea en la profundidad de sus naturalezas interiores. Esto es comprensible y muy humano. A nadie le gusta que le examinen su vida privada. Mientras sus intenciones sean honradas y esté usted comprometido a servirle de ayuda, tiene posibilidades de lograr que la persona se relaje. Sin embargo, cuando tenga problemas para diagnosticar, obsérvele atentamente los pies. Con frecuencia verá mucho más de lo que cree.

Recuerdo muy bien la ocasión en que vi al ex presidente de Filipinas Ferdinand Marcos cuando lo derrocaron del poder hace unos años. Antes de que lo obligaran a abandonar el país, hizo numerosos discursos en los cuales trataba de reflejar poder y hacer ver que controlaba la crisis que atravesaba el país. Lo vi durante uno de esos discursos cuando la cámara mostraba todo su cuerpo. Estaba sentado ante una mesa con el micrófono delante. Llevaba el pelo pulcramente peinado hacia atrás y su rostro era una máscara de indiferencia, poder y control; su camisa blanca estaba bien almidonada. Mientras hablaba, sus manos y su cara reflejaban una fuerza artificial, pero sus pies delataban su verdadero estado.

Al estar sentado, los pantalones le subían hasta las pantorrillas, dejando al descubierto los calcetines, que caían desmañadamente hacia abajo. Me dio la impresión de que sus calcetines desentonaban con su atuendo; en todo caso eran absolutamente incongruentes con el resto de su persona: mientras todo en él estaba almidonado y controlado, sus calcetines se enrollaban hacia abajo casi hasta los zapatos. Lo hacían parecer un niño pequeño asustado. Además, no tenía los pies firmemente apoyados en el suelo, sino que los movía hacia atrás y hacia delante, dando nerviosos golpecitos en el suelo, bajo la mesa. Sus pies revelaban su verdadero estado: los cimientos de su vida se estaban desmoronando.

Actualmente son muchos millones los estadounidenses que tienen problemas en los pies. Entre los problemas más comunes están los juanetes, los callos, y las zonas hinchadas que impiden estar de pie o caminar con comodidad. Muchas personas explican estas protuberancias echándole la culpa a los zapatos («Es que el zapato me roza aquí») o tal vez a su torpeza («Seguro que me he golpeado el pie con algo sin darme cuenta»). Es más que probable que el zapato le roce en esa zona. Parece evidente que tiene que rozarle si la protuberancia sobresale tanto, pero, ¿qué hizo aparecer allí esa protuberancia en primer lugar? Lleva toda la vida caminando con los mismos pies, ¿por qué no apareció antes la protuberancia? ¿Por qué los niños rara vez tienen hinchazones y juanetes? Incluso más misterioso es el hecho de que esas protuberancias hayan aparecido en el lugar donde aparecen. ¿Por qué una protuberancia en el cuarto dedo, por ejemplo, o en el borde del pie encima del dedo gordo?

En realidad, la causa primera no han sido los zapatos, aunque ahora sean un problema también. La verdadera causa es muchísimo más profunda y más reveladora de la propia vida.

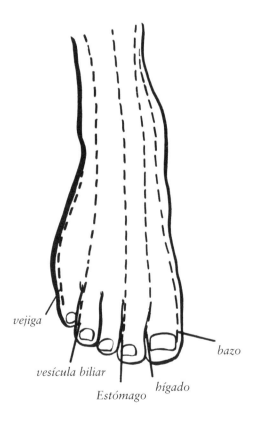

vejiga

vesícula biliar

bazo

Estómago

hígado

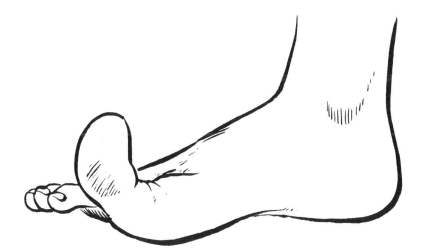

El dedo gordo es grande y apunta hacia arriba, de vez en cuando está hinchado: persona de buen diente, violenta, se altera con facilidad.

Examinemos los pies con más detalle y desvelemos algunos de sus misterios.

Al igual que la mano, el pie es una terminal de meridianos. Seis meridianos suben y bajan por las piernas y pasan por diversos lugares de los pies. La reflexología, o masaje de los pies, sostiene que al dar masaje a ciertos puntos del pie se estimulan, tonifican o equilibran y calman todos los órganos y regiones del cuerpo.* Yo animo a la gente a caminar descalzas aunque sea durante breves periodos cada día, para mejorar la circulación de los pies y estimular otras partes del cuerpo. Al caminar descalzos estimulamos y energizamos nuestra salud. (Vamos a hablar de reflexología del pie dentro de un instante.)

El dedo gordo del pie contiene dos meridianos, el del hígado y el del bazo. El meridiano del hígado comienza en la parte superior del dedo, en el lugar donde la uña se encuentra con la cutícula, y sube por el lado interior de la pierna, pasando por la pantorrilla y muslo hasta la ingle, y desde allí asciende pasando por el costado del abdomen hasta un punto situado en la parte lateral de la caja torácica, desde donde sube hasta un punto situado bajo la tetilla o pezón (véase pág. 102). (Tenga presente que cada meridiano es uno de un par. Cada pie tiene su propio meridiano del hígado que hace el mismo trayecto por la parte correspondiente del cuerpo.) Hay un punto situado en el lugar donde convergen los tendones de los dedos gordo y segundo. Se puede encontrar fácilmente este punto siguiendo esos dos tendones con el dedo desde la parte superior de esos dos dedos hasta el lugar donde se unen. El punto está en el tejido blando justo antes de que se unan los dos tendones. Palpe ese punto; generalmente es muy sensible. Al presionar profundamente allí con el pulgar, se puede estimular el ki del meridiano del hígado.

---

* Al respecto puede verse la obra *Manual práctico de la terapia de las zonas reflejas de los pies*, de la doctora Hanne Marquardt, publicada por esta editorial. *(N. del E.)*

El segundo dedo es más largo que los demás: mucho apetito.

El meridiano del bazo sale del borde exterior del dedo gordo, sigue por el lado interior del pie y sube por la espinilla, pasa por la rodilla y muslo hasta llegar a la ingle, y sigue hacia arriba pasando por el costado del abdomen hasta llegar a un punto situado en la axila; desde allí pasa por debajo de la axila y termina en un punto situado en la espalda (véase pág. 101).

Muchas personas tienen un abultado juanete en el borde del pie justo en la base del dedo gordo. Este juanete, que a veces está rojo o inflamado, aparece como una masa ósea. Indica un bazo perezoso y cansado a causa de demasiados alimentos dulces y cantidades inadecuadas de minerales. Las personas con este trastorno suelen sufrir de artritis.

El juanete aparece porque el bazo está intentando eliminar exceso de energía y desechos por el meridiano del bazo. La energía está bloqueada en el bazo y tiende a retroceder por el meridiano, produciendo hinchazón de los vasos capilares y, finalmente, una masa ósea justo en ese borde del pie. En ese momento, el zapato comienza a rozar contra la zona inflamada. Si la persona continúa maltratando su bazo, los excesos continuarán acumulándose, calcificándose y creando un enorme juanete.

En diagnosis oriental decimos que esos juanetes denotan una persona muy tozuda.

Como expliqué en el capítulo 3 (pág. 102), el meridiano del estómago baja desde la cara por la parte anterior del cuerpo, pasa por el lado exterior de la pantorrilla y termina en el segundo dedo del pie. Por este motivo, considero este dedo un claro indicador de lo que come una persona y del estado de su tubo digestivo.

Aquí también, la inflamación del segundo dedo indica que el órgano está sobrecargado e intenta eliminar el exceso de energía atrapado tanto en el órgano como en el meridiano.

Un segundo dedo más largo que los demás indica un estómago y un meridiano del estómago muy potentes. La persona que tiene un dedo así tiene muy buen apetito, tiende a comer en exceso, gana peso con facilidad y corre el riesgo de sufrir finalmente de gota o artritis.

Las personas que tienen el estómago fuerte tienden a creer que pueden comer de todo sin lamentarlo. «Tengo un estómago de hierro», suelen decir. No comprenden que no tienen un hígado de hierro. En consecuencia, se meten cosas en el estómago que el hígado no puede tratar. Los sanadores orientales dicen que esas personas viven según sus fuerzas, no según sus debilidades. En este caso, su fuerza las está destruyendo. Si un órgano determinado fuera más débil, tendrían que moderar su comportamiento, porque el órgano les produciría síntomas y molestias, pero como el órgano permanece en silencio, los otros órganos, menos fuertes, sufren y degeneran rápidamente.

Si la persona abusa continuamente de su hígado, sentirá cada vez más rabia y agresividad, y experimentará estallidos de emoción sobre los cuales tendrá poco control. Debería reducir el consumo de exquisiteces y bebidas alcohólicas, sobre todo de carne, grasas y licores fuertes.

Por lo general, un dedo que se monta sobre otro indica que el órgano representado por el dedo que se monta es más fuerte que el representado por el que queda debajo.

Si el dedo gordo se monta sobre el segundo dedo, significa que el meridiano del estómago es más débil en relación al hígado. Una persona que tiene el dedo gordo montado sobre el otro debe evitar los estimulantes, el azúcar refinado y los alimentos ácidos, que dañan el estómago. Probablemente esta persona sufre de problemas gástricos, de modo que es prudente con lo que come. Estas personas deben procurar masticar muy bien y evitar los alimentos y bebidas que estimulen excesivamente el hígado, como el alcohol, los alimentos demasiado amargos y las especias fuertes. Este tipo de alimentos y bebidas vienen a complicar más el problema ya existente. En este caso es necesario someter la energía del hígado y hacer más fuerte la del estómago. (Véanse recomendaciones dietéticas y ejercicios en el capítulo 9.)

El meridiano de la vesícula biliar baja por el lado exterior de la pierna y llega al cuarto dedo pasando por el empeine (véase pág. 106). Este dedo, por cierto, suele ser el asiento de un gran juanete. En diagnosis oriental decimos que cuando aparece un juanete en el cuarto dedo, hay problemas en la vesícula biliar. Probablemente la persona come demasiados alimentos grasos y aceitosos, lo cual es causa de que el hígado y la vesícula se congestionen con colesterol. Un juanete grande de color castaño sobre el cuarto dedo puede revelar una propensión a cálculos biliares y un temperamento fogoso. Una persona con un juanete así puede sufrir de estallidos de ira, que tan pronto vienen como se van.

El meridiano de la vejiga baja por la espalda, pasa por las nalgas y sigue por la parte posterior de la pierna hasta el talón. En realidad, en la espalda el meridiano de la vejiga se divide en dos carreteras paralelas que se unen en la corva. Desde allí baja por la pantorrilla, talón y sigue por el lado exterior del pie hasta el dedo meñique (véanse págs. 104 y 105). Un meñique bien desarrollado y flexible indica que la persona tiene menos probabilidades de sufrir problemas en la parte baja de la espalda. Una mujer embarazada que tenga flexibles los dedos meñiques de los pies probablemente no tendrá muchas dificultades en el parto.

El meridiano del riñón comienza en un punto situado en el centro de la planta del pie. Este punto, riñón 1, se llama «primavera burbujeante» o «primavera desbordante». Si esta zona está sana, bien desarrollada, mullida y caliente, es posible que la persona tenga una larga vida de buena salud. Si explora este punto va a percibir un profundo pozo de energía. El masaje de este punto contribuye a fortalecer los riñones, los cuales, como vimos en el capítulo 2, son la fuente de la energía fundamental del cuerpo y el espíritu. El meridiano continúa por el arco, hace un bucle en el tobillo y sube por el lado interior de la pierna; después sigue por el medio del cuerpo hasta insertarse en la clavícula (véase pág. 101).

* * *

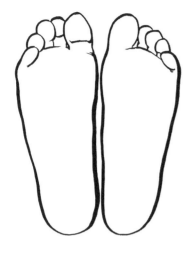

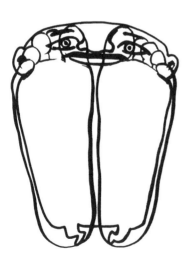

Lo micro representa lo macro: si proyecta el cuerpo en las plantas de los pies, verá la relación.

Anteriormente me referí a la reflexología, la doctrina que establece que se pueden estimular los órganos del cuerpo dando masaje a ciertos puntos, de los pies. Una vez más, esto ilustra la regla de que en la diagnosis oriental lo macro se puede ver en lo micro, y lo micro en lo macro. El pie es una constelación de puntos que se relacionan con todo el cuerpo.

La reflexología de los pies se concentra principalmente en la planta o cara inferior de los pies, y en muchos casos los puntos a que da importancia corresponden a los meridianos mencionados anteriormente. Si dibujamos el cuerpo humano (algo estilizado) sobre el dibujo de las plantas, como se ve en las ilustraciones de la izquierda, tendremos un mapa-guía general para presionar y dar masaje a sus diferentes partes para aliviar y beneficiar ciertos órganos.

Por ejemplo, en la base del dedo gordo, en la posición de las 11.00 en un reloj imaginario, hay un punto correspondiente al ojo. Dar masaje en ese punto, en ambos pies, beneficia a los ojos. Bajo los dedos segundo y tercero, en el sitio donde éstos se unen al pie, están los puntos que corresponden a la boca. En ese mismo lugar del cuarto dedo hay un punto que corresponde al oído. Si da masaje en estos puntos descubrirá que son notablemente más sensibles que otras partes del pie.

Las almohadillas de las plantas de los pies corresponden a los hombros y pulmones. Justo en el centro de la planta, debajo de la almohadilla, está el punto llamado «primavera burbujeante», el punto del riñón mencionado antes (ilustración en pág. 167).

A lo largo del arco hay tres zonas generales que corresponden a la garganta, cuello y columna. En el otro lado del pie, a lo largo del borde exterior, hay una amplia zona que corresponde a la parte superior del abdomen y la cintura.

En general, el talón corresponde a los riñones y a la parte inferior de la espalda, pero la parte del talón más cercana al borde corresponde a los órganos reproductores. El punto más bajo del talón es el punto del recto, y a su lado hay un punto que corresponde al útero.

Con un firme masaje en estas zonas se puede estimular y mejorar el estado de los órganos correspondientes. Prácticamente a todo el mundo le encanta un buen masaje en los pies, sobre todo cuando se hace con actitud amable y atenta. Pero algunas personas tienen los pies muy sensibles o sienten cosquillas, de manera que al principio hay que darles el masaje con mucha suavidad y cuidado. Es bueno comenzar por friccionar el pie antes de explorar los diversos puntos. La fricción mejora la circulación y relaja el pie, disponiéndolo para después poder trabajar con más vigor las zonas y puntos individuales. Hay que trabajar los dos pies; no descuide ninguno de los dos, porque entonces crearía un desequilibrio izquierda-derecha en el cuerpo.

Una vez que haya friccionado bien el pie, comience a hacer el masaje en el tendón de Aquiles. Allí trabaje los meridianos de los riñones y la vejiga; el masaje estimulará también las funciones reproductoras. Masajee firme y profundamente. No haga movimientos bruscos. Vaya con lentitud y suavi-

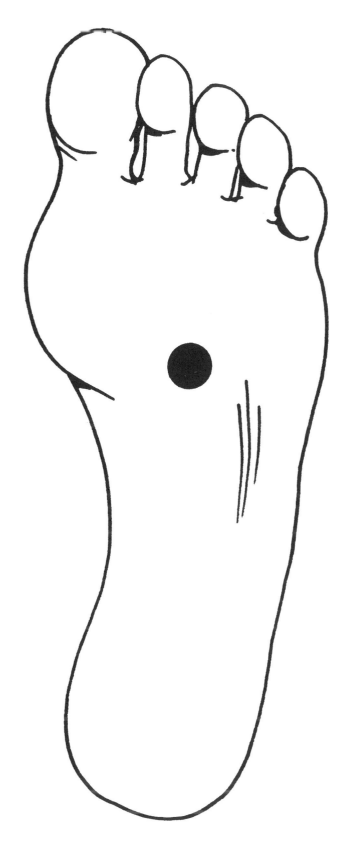

El punto número 1 del meridiano del riñón: yu sen o «primavera burbujeante». Para el cansancio general.

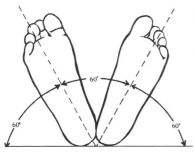

Posición normal: Posición ideal de los pies; las articulaciones de las caderas están equilibradas, como también lo están las piernas y los hombros.

dad y cerciórese de que presiona el tendón y la zona del talón. Visualice cómo se disuelve la energía estancada en el riñón, vejiga y órganos sexuales.

Cuando haya acabado, coloque el pie firmemente en el suelo y comience a dar el masaje en el empeine, desde la zona donde el pie se une a la pierna hacia los dos primeros dedos. Masajee firme y profundamente. Busque el punto del hígado, donde se juntan los tendones de los dos primeros dedos. Con el pulgar presione profundamente allí. Tal vez habrá un dolor agudo y eléctrico. No estimule en exceso ese punto, pero haga el masaje en profundidad mientras se imagina cómo se disuelve y libera la energía estancada en el hígado.

Vuelva el pie hacia arriba y tire de los dedos de cada pie hacia delante, todos juntos, y después uno por uno. Haga rotar ligeramente cada dedo. Esto estimulará el ki de los diversos órganos y hará escapar el exceso de energía por los puntos meridianos terminales.

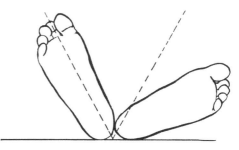

El pie izquierdo está ladeado en más de 60 grados; en el ejemplo, 90°. Esto indica que la articulación de la cadera izquierda tiene demasiado juego. La pierna izquierda es más corta y el pie izquierdo aguanta más peso

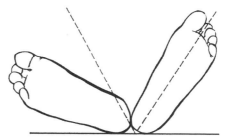

La pierna derecha está ladeada en más de 60 grados. Esto indica que la articulación de la cadera derecha tiene demasiado juego. La pierna derecha es más corta y el pie derecho aguanta más peso.

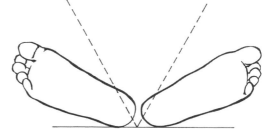

Cuando los dos pies están ladeados en más de 60 grados, como en este ejemplo, las articulaciones de ambas caderas están flojas.

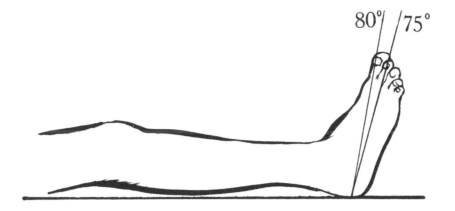

Entre 70 y 80 grados es lo ideal.

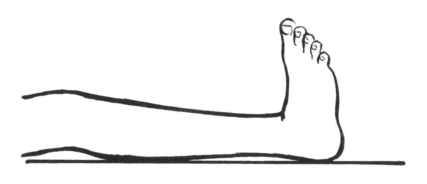

*Más de 90 grados:
el meridiano del estómago está
jitsu, demasiado tenso.*

*Noventa grados: buen apetito,
salud fuerte, pero falta sosiego.*

*Menos de 60 grados:
constitución débil, mala salud,
enfermedad crónica.*

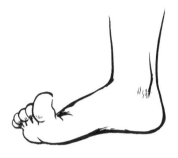

Los dedos están arqueados hacia arriba: persona activa, agresiva, se altera con facilidad.

Ahora golpéese con suavidad las plantas de los pies con la mano flojamente cerrada. No olvide hacerlo en ambos pies. Cuando haya acabado de golpearse toda la planta, dé un profundo masaje con el pulgar al punto «primavera burbujeante», o punto 1 del meridiano del riñón. Dé un masaje a los otros puntos de los que hemos hablado antes. Hágalo en ambos pies.

Un masaje diario y vigoroso de los pies tendrá un efecto muy positivo en su salud. Estimulará todos los órganos del cuerpo y liberará mucha energía estancada que es causa de problemas en los pies.

Sus pies son los cimientos de su cuerpo. Nadie es feliz si le duelen los pies. Uno se para sobre sus pies. Es necesario darles la atención que se merecen.

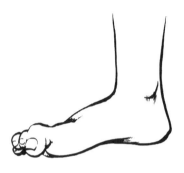

Los dedos están arqueados hacia abajo («pies martillo»): persona tensa y nerviosa.

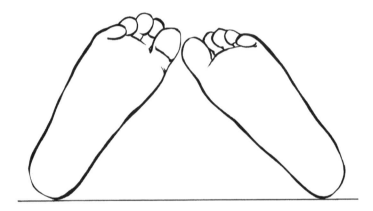

Los pies están ladeados hacia dentro: las articulaciones de las dos caderas están apretadas; los meridianos del bazo, hígado y riñones están jitsu.

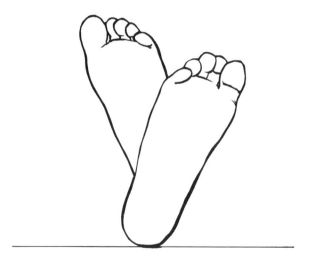

El pie izquierdo está sobre el pie derecho (la pierna derecha es más larga que la izquierda): problemas de respiración, pecho y senos nasales.

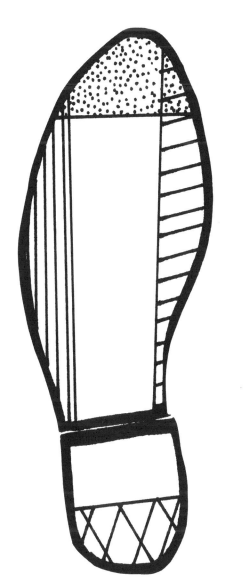

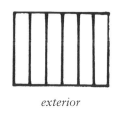

exterior

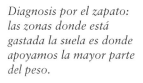

Diagnosis por el zapato: las zonas donde está gastada la suela es donde apoyamos la mayor parte del peso.

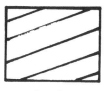

interior

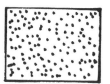

punta

talón

LAS HISTORIAS QUE CUENTAN LOS ZAPATOS

Ahora que ya ha aprendido algo acerca de los pies y los meridianos, puede comenzar a ver la importancia de muchos de los detalles y características «menores» del cuerpo. Incluso los zapatos pueden contarle la historia de la vida de su dueño o dueña.

Me gusta contar la historia de un japonés propietario de una posada rural o *ryokan*. Este posadero era muy listo. Secretamente poseía un gran conocimiento de diagnosis oriental. Así como es costumbre en Japón quitarse los zapatos para entrar en una casa, también la gente se quita los zapatos para entrar en una *ryokan*. El sabio posadero que llevaba esta *ryokan* sabía determinar el carácter de sus clientes examinan-

Está desgastada la punta:
la persona siempre tiene prisas,
es neurótica.

Está desgastado el talón:
problemas de riñones, dolor de
la parte inferior de la espalda.

do sus zapatos, y así decidía en qué habitación colocar a cada uno. Sabía ver, por ejemplo, si un determinado cliente roncaba, en cuyo caso le daba una habitación que quedara retirada para no molestar el sueño de los demás clientes. El posadero sabía ver si un cliente debía estar cerca del cuarto de baño y si convenía que pagara por adelantado. A juzgar por la calidad de los zapatos, el posadero sabía también cuánto podía pagar el cliente, y de esa manera podía ser generoso con aquellos que necesitaban su generosidad, y cobrar todo el precio a los que se podían permitir ese pago.

Yo también, estudiante de diagnosis oriental durante mucho tiempo, observo constantemente los zapatos para tener pistas sobre el carácter, la salud y la orientación en la vida de una persona. La suela del zapato es por supuesto lo que está menos a la vista. Pero, recuerde, nuestras partes más ocultas son también las más reveladoras.

Los zapatos son interesantes porque son lo que menos atendemos de nuestro atuendo, aunque necesitan la atención o mantenimiento más personal. Muchas personas no toleran camisas sucias ni trajes llenos de polvo, pero normalmente se pueden «soportar» los zapatos sucios. Una persona que lleva zapatos bien cuidados es una persona que atiende a los pequeños detalles de su vida. Otra cosa interesante de los zapatos es que revelan directamente los medios económicos de una persona. Casi nunca gastamos más de lo que podemos en zapatos. Una persona de medios modestos con más probabilidad preferirá gastar en un traje o vestido caro que en un par de zapatos caros. Si los zapatos son muy caros, suelen revelar a una persona de buena situación económica.

Para diagnosticar a una persona por la suela de sus zapatos, hemos de ver dónde está desequilibrado el desgaste, es decir dónde se ve excesivamente gastada. Cada persona pone más peso en una parte del pie que en otra. En Japón existe una serie de escalas para determinar en qué parte del pie pone más peso la persona: la punta, el talón, el borde interior o el exterior. Estas escalas están conectadas a un ordenador, que puede analizar el carácter de la persona según sea la parte del pie donde apoya la mayor parte de su peso.

En cuanto a usted, simplemente con mirar un par de zapatos puede decir mucho acerca de las deformaciones estructurales generales de una persona: dónde coloca el peso de su cuerpo; si tiene el pie ancho o estrecho, o si tiene sobrepeso o es ligera de pie.

En mis clases divierto a mis alumnos cogiendo unos pares de zapatos al azar y, sin saber a quiénes pertenecen, analizo el carácter de sus dueños. Por ejemplo, si está más desgastada la puntera del zapato, cerca de los dos primeros dedos, sé que el meridiano del estómago de su dueño o dueña está muy activo. Eso significa que la persona siempre tiene hambre. Por lo tanto, está impaciente y nerviosa por saber el resultado de los acontecimientos, por temor a que su deseo o apetito no sea satisfecho. Estas personas tienen buen apetito y tienen hambre de vida, pero su impaciencia las hace propensas a accidentes. «La persona dueña de este zapato se golpea muchísimo en la cabeza», digo.

Si la suela está excesivamente gastada por la parte de detrás del zapato, significa que los riñones de su dueño o dueña están sobrecargados de trabajo. Probablemente la persona consume demasiado líquido, y es posible que sufra de dolor en la baja espalda. Tal vez se siente perezosa, se cansa fácilmente y teme, vacila ante el futuro y recela de las oportunidades. Esta persona busca seguridad, pero es probable que no pueda encontrarla. Naturalmente, esta persona no se aventura.

La zona cercana al arco revela el estado del bazo y del hígado; ambos meridianos, como recordará, pasan por el lado interior del pie. Si está gastada esta parte del zapato, probablemente la persona es patizamba, es decir tiene las piernas torcidas hacia fuera y las rodillas muy juntas, y apoya la mayor parte de su peso en la parte interior de los pies, en el arco. El hígado y el bazo están sobrecargados. Posiblemente es una persona poco sociable y tímida, y tal vez está frustrada, sobre todo en el aspecto sexual. Es probable que tenga problemas en los órganos reproductores, lo cual le complica la relación con el sexo opuesto. Puede sentirse totalmente confundida cuando tiene que tomar decisiones importantes. Tal vez le duelen el cuello y los hombros, debido al desequilibrio de peso y postura.

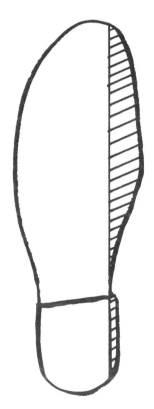
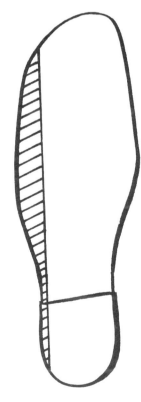

Está desgastado el interior: problemas de intestinos y órganos sexuales.
Está desgastado el exterior: problemas de hígado y vesícula biliar.

Se puede controlar la cara hasta cierto punto, y algunas personas lo hacen mejor que otras, pero es muy difícil controlar los dedos de los pies, y la manera de colocar el peso en los pies. Por lo tanto, estas características son más ciertas y reveladoras acerca de quién es uno.

Cuando la parte exterior de la suela está excesivamente gastada, quiere decir que la persona es un poco patiestevada, es decir tiene las piernas algo arqueadas y coloca la mayor parte de su peso en la parte exterior de los zapatos, por donde pasan los meridianos de la vejiga y la vesícula biliar. A esta persona le gustan los alimentos sensuales, muy condimentados, pero come sin discriminación y es probable que tenga sobrepeso. Tal vez es propensa a la rabia, temor y hostilidad, le cuesta tomar decisiones y tiene una naturaleza práctica. Es posible que sufra de dolor en los hombros, debido al desequilibrio del cuerpo causado por la desigual distribución del peso.

A veces se ve que la zona del dedo gordo está más desgastada que el resto. Eso significa que la energía del hígado de su dueño o dueña es excesiva o jitsu. Como dije en el capítulo 3, esta persona es tenaz, orientada hacia objetivos muy determinados, y sufre de adicción al trabajo. La rabia no está nunca muy lejos de la superficie, pero tal vez la persona trata de controlarla.

Cuando los zapatos están limpios, revelan a una persona meticulosa, que cuida mucho los detalles. Cuando los zapatos están moderadamente bien cuidados, significa que la persona está más relajada respecto a su imagen. Es posible que esta persona dé más importancia a la substancia de su personalidad o a la calidad de su trabajo. Si los zapatos están particularmente sucios o descuidados, es probable que la persona sufra de un alto grado de caos en su vida, consecuencia de alguna enfermedad física o mental, o tal vez de problemas económicos.

El olor de los zapatos de una persona refleja su dieta. Si tienen un olor fuerte, repugnante y ácido, es probable que la persona coma demasiados alimentos de origen animal, entre ellos productos lácteos; suda mucho, lo cual indica riñones sobrecargados de trabajo; y tal vez sufre de sobrepeso e hipertensión. Si los zapatos tienen un olor dulce, la persona come demasiados dulces y tal vez sufre de algún problema relacionado con el bazo y el páncreas, como son la hiperglucemia y la diabetes. Un olor salado indica que los riñones están sobrecargados de trabajo; un olor acre indica algún desequilibrio en el intestino grueso.

Los zapatos nos pueden decir mucho sobre las ocupaciones de la persona. Si el tacón derecho está más gastado que el izquierdo, probablemente la persona se pasa mucho tiempo conduciendo un coche. El desgaste se produce al mantener el pie derecho sobre el acelerador. Una persona que está de pie durante muchas horas tendrá zapatos deformados por los lados, porque el peso del cuerpo los ensancha y aplana.

Siento algo muy especial por los zapatos porque no tuve mi primer par hasta que cumplí siete años. La guerra había dejado algo pobre a mi familia y a muchas otras, por lo cual pasó un buen tiempo antes que mis padres pudieran comprarme zapatos. Finalmente, cuando tenía siete años, tuve mi primer par. Me sentí tan feliz, tan enamorado de ellos, que dormí con ellos puestos. No veía la hora de levantarme e ir a la escuela con mis zapatos. Pero cuando por fin llegué a la escuela, vi que no eran muchos los niños que llevaban zapatos y, de pronto, me sentí cohibido, y tan desgraciado que me quité los zapatos y los escondí en mi mochila. Me dio vergüenza tener algo que mis amigos no tenían.

Los zapatos no son distintos de cualquier otra parte del cuerpo. Lo micro refleja lo macro, lo cual quiere decir que en la parte más pequeña del cuerpo se revelan las pistas de su naturaleza total.

No es tan importante «lo que» se lee en los zapatos cuando se los examina, y en ese sentido, tampoco lo que se lee en cualquier otra parte del cuerpo. Lo más importante es «por qué o para qué» se lee.

Siempre me preguntan: «¿Cómo puedo ser feliz y sano?», o «¿Cómo puedo ser iluminado? ¿Debería ir a India o Japón?» Yo contesto: «Mira tus zapatos. Estás de pie sobre tu respuesta». Los secretos de nuestra vida están escritos sobre nuestro cuerpo; se están desgastando en la suela de los zapatos. Basta con leerlos. El Universo desea darnos las respuestas que necesitamos. La información nos está llegando continuamente desde muchas direcciones y de muchas formas. Nosotros bloqueamos esa información al no vivir en armonía con ella. Tenemos muchos desequilibrios. Estos desequilibrios actúan como rocas en el río de la vida; bloquean la información que fluye hacia nosotros. Apartemos las rocas, y las respuestas nos llegarán como caídas del cielo. En realidad, las respuestas a nuestros interrogantes más importantes nos vienen del interior. Todo lo que hemos de hacer es aprender a ver; a leer el cuerpo, a escuchar las respuestas y a seguir la orientación que nos ofrece el propio Universo.

8

La piel y el cabello

L A PIEL, QUE ES EL ÓRGANO MÁS EXTENSO del cuerpo, se encarga de un buen número de funciones, entre otras, la regulación de la temperatura corporal (mediante la transpiración), la inspiración de oxígeno y la espiración de dióxido de carbono, la percepción del mundo físico por el tacto, y la eliminación de toxinas por los poros. Bajo la superficie, la piel contiene los folículos capilares, las glándulas sudoríparas y las glándulas sebáceas.

Todos sabemos que la piel es un órgano muy sensible que reacciona inmediatamente a los cambios de nuestro ambiente externo. Toda persona que haya experimentado azoramiento o vergüenza conoce el acaloramiento y rojez producidos por el rubor. La piel experimenta muchos otros cambios. A veces está pálida, otras veces roja, amarilla, o incluso gris o de color castaño. Aparecen pecas y, en muchas personas, vuelven a desaparecer. A veces la piel está más húmeda que lo normal; las palmas de las manos, por ejemplo, que a veces están casi mojadas y otras veces están secas.

De vez en cuando la piel se pone grasa. Muchas personas tienen piel grasa permanentemente. Diversas partes de la piel, entre ellas, zonas concretas de la cara, son más grasas que otras; la nariz suele ser más grasa que el cuello, por ejemplo. A veces la piel está escamosa y seca; otras veces puede sufrir de diversas erupciones, como pequeñas llagas, sarpullidos y acné. Todo esto demuestra que la piel es un órgano muy sensible, muy explosivo, en el que se producen enormes cambios.

Estos cambios producen diversas reacciones en las personas. Para algunas la piel es su enemiga. Sencillamente no se comporta como nos gustaría. Decimos cosas como «Tengo piel sensible», o «Tengo piel grasa» o «Tengo piel seca», como si esos trastornos fueran un estado permanente de nuestra naturaleza. Es verdad que los genes tienen un papel importante en la textura, resistencia y sensibilidad de nuestra piel, pero es igualmente cierto que sea cual sea nuestra naturaleza genética, todos podemos tener una piel sana y atractiva. Lo único que hemos de hacer es escuchar los mensajes que nos envía nuestra propia piel.

La piel es un órgano maravilloso, porque su reacción a nuestro estado interno es rápido y visible. Gracias a su sensibilidad, la podemos usar a modo de barómetro de nuestra vida, y podemos leer en ella. La piel nos puede decir, por ejemplo, si son saludables o no los alimentos que comemos, si es saludable nuestro medio ambiente, si son sanas nuestras actitudes hacia la vida. El estrés, por ejemplo, puede influir en su estado. La urticaria, que es un sarpullido que se inflama y causa picor, suele estar relacionado con él, o, más exactamente, con la forma como nos enfrentamos a él.

Muchos de nosotros consideramos una maldición tener la piel sensible, pero en realidad es una bendición. La piel sensible puede ser muy hermosa, pero sólo si se vive en armonía con el ambiente externo. Hemos de comer alimentos que favorezcan la salud general y la de la piel. De lo contrario, se verá afectada nuestra apariencia. De este modo, el Universo aprovecha nuestra vanidad para guiarnos hacia la buena salud. Si nos comportamos correctamente, es decir, si cuidamos nuestra salud, tendremos la piel radiante, flexible, tersa y luminosa, por muy sensible que sea. Yo pienso que aquellas personas que pueden comer todo tipo de alimentos nocivos y seguir teniendo un buen aspecto en la piel son las que tienen problemas, porque no pueden usar su barómetro para guiarse hacia la buena salud.

Veamos todos estos cambios uno por uno. Comenzaremos por el color. Antes de nada, es importante advertir que cuando digo piel blanca, amarilla o de color castaño, no me refiero a los colores raciales de la piel, sino a cambios de color dentro de cada grupo racial. Nadie en el planeta tiene la piel verdaderamente blanca, por supuesto, pero dentro del grupo caucasiano, por ejemplo, hay personas cuyo color de piel es más blanco que el de otras. Lo mismo ocurre con los asiáticos, africanos, hispanos, indígenas americanos, mediterráneos, etc. Una vez más, hemos de mirar individualmente a cada persona para determinar si su piel se ve sana o manifiesta una variación de su color natural, la cual indica algún cambio interno.

LOS COLORES DE LA PIEL

Dado que la mayoría de la gente lleva cubierta la mayor parte de su piel, limitaré el análisis al color de la piel facial. Si hay cambios de pigmentación en otras partes del cuerpo, vea qué meridiano discurre por esa zona del cuerpo (véase capítulo 3). En todo caso, las explicaciones para cada color que doy a continuación generalmente corresponderán también a las demás partes del cuerpo. El color rojo, por ejemplo, está relacionado normalmente con el corazón e indica un exceso de influencias yin en la vida de la persona.

Si hay una rojez excesiva, pongamos por caso en el meridiano del bazo, puede significar que el consumo de substancias yin (azúcar, fruta, zumos de fruta y alcohol) es muy alto, y que hay carencia de minerales.

Rojo

El color rojo, sobre todo en la cara, está relacionado directamente con el corazón y el sistema circulatorio. La rojez de la piel está causada por la dilatación de los vasos capilares. La sangre se precipita a esa zona, dando a la superficie de la piel el color de la sangre. Cualquier cosa que acelere el bombeo cardiaco aumenta la circulación y enrojece la piel; estas cosas pueden ser, entre otras, un susto repentino, azoramiento o vergüenza, risa o ejercicio. En general, los alimentos más yin son causa de que la piel esté permanentemente roja, porque el yin expande los vasos capilares periféricos. Los dulces, las bebidas alcohólicas, las muchas especias, las experiencias muy emotivas (llantos, gritos, risas) y los azoramientos repentinos son más yin y por lo tanto tienen un mayor efecto en la circulación periférica.

Las cosas yang también pueden acelerar el corazón y la circulación, por supuesto. El ejercicio es un buen ejemplo. El ejercicio es yang, en el sentido de que contrae los músculos y acelera los latidos del corazón. Así pues, cuando vea una cara enrojecida, habrá de preguntarse cuál es la causa, si es yin o yang. En general, si la causa es yang, la rojez desaparecerá tan pronto la persona se enfríe y la circulación se normalice. Si la causa es yin, la rojez será permanente y probablemente estará relacionada con el consumo de dulces, fruta, zumo de frutas, especias y alcohol.

Blanco

La piel blanca o muy pálida está directamente relacionada con los pulmones y el intestino grueso. Cuando los pulmones están congestionados o demasiado oprimidos, la circulación está obstaculizada y la piel se pone blanca. Si una persona sufre una conmoción, o tiene una enfermedad pulmonar crónica o mala circulación, su piel se vuelve blanca. Todos estos síntomas apuntan a un problema pulmonar y bronquial. Los pulmones son particularmente sensibles al tabaco y al consumo excesivo de grasas. El exceso de grasa o colesterol en la dieta reduce la capacidad de la sangre de transportar oxígeno. La piel blanca también indica cantidad insuficiente de hemoglobina, que son las proteínas que transportan el oxígeno y el hierro en la sangre.

Cuando hay trastornos intestinales, por ejemplo estreñimiento, la sangre se estanca en el tracto intestinal. Esta falta de circulación en los intestinos es causa de que llegue poca sangre a otras partes del cuerpo, incluidos los pulmones, y puede ser causa de la piel blanca o pálida.

Amarillo

La piel amarilla está relacionada con el hígado y la vesícula biliar. La bilis y otras secreciones hepáticas amarillean la piel y los ojos. La ictericia, es lógicamente el mejor ejemplo de un trastorno hepático que pone la piel amarilla.

Castaño

Generalmente el color castaño tiene relación con los riñones. Cuando el funcionamiento de los riñones no es óptimo, el color de la sangre se oscurece. Esta oscuridad pasa a la piel, sobre todo a la zona situada bajo los ojos y la parte superior de las mejillas. El color castaño oscuro alrededor del puente de la nariz indica un problema en los órganos del medio, sobre todo el estómago, el bazo y el páncreas, y consumo excesivo de alimentos yin.

Azul

El color azul se relaciona con el hígado, el estómago, el bazo y el páncreas. Suele aparecer en las sienes, en el puente de la nariz y en la piel que queda entre los ojos. Estas zonas corresponden al bazo y al hígado. Un matiz azulado indica que ambos órganos sufren de mala circulación. En consecuencia, están excesivamente fríos y estancados. Son necesarias más influencias yang, entre ellas el ejercicio, el tratamiento Ohashiatsu, y un aumento general de la actividad física.

LUNARES

Con frecuencia se ven lunares en la cara u otras partes del cuerpo. A veces estas marcas ya están presentes en el momento del nacimiento, pero también suelen aparecer después. En mi opinión, estos lunares son toxinas eliminadas del cuerpo. A veces aparecen a lo largo de los meridianos; están producidos por la quema del exceso de hidratos de carbono, grasas y proteínas. Examine el meridiano donde se encuentra el lunar para saber qué actividad ha sido afectada. En general, ese meridiano estará más débil que los demás, y por lo tanto deberá ser tratado.

PIEL GRASA

La piel sana debe tener un ligero brillo aceitoso. La piel metaboliza la vitamina D combinando la luz del Sol y la grasa (el aceite es en realidad grasa en forma líquida). Dado que la vitamina D es esencial para la salud, una ligera cantidad de aceite en la piel es señal de un metabolismo sano. Pero la mayoría de nosotros no nos preocupamos por una pequeña cantidad de aceite en la piel. Lo que nos preocupa es cuando hay una excesiva cantidad.

La causa del exceso de grasa en la piel es el consumo excesivo de aceites, grasas y alimentos de origen animal. «Exceso» es un término relativo. Cuando se sufre de piel grasa quiere decir que se están consumiendo más alimentos grasos de los que se necesitan para la constitución y estado actual.

La piel grasa también sugiere debilidad en el hígado, vesícula biliar, corazón o páncreas. El hígado y la vesícula biliar procesan las grasas y los aceites y proporcionan ácidos biliares. Cuando el hígado está congestionado por un exceso de grasa, disminuye su eficiencia. Las grasas elevan el nivel de colesterol en la sangre, siendo causa de aterosclerosis, que sobrecarga el corazón. Además, las pruebas científicas demuestran que la grasa obstaculiza el metabolismo del azúcar por las células, y es la principal causante de la diabetes no insulinodependiente, que comienza en la edad adulta. La grasa se acumula alrededor de las células e impide a la glucosa atravesar la membrana celular para pasar al interior de las células, que es donde debería transformarse en combustible para el metabolismo celular. El exceso de grasa, por lo tanto, sobrecarga de trabajo al páncreas, al reducir la eficiencia de la insulina: el páncreas tiene que trabajar más para producir la insulina necesaria para que las células tengan combustible.

Recomiendo examinar la cara y otras partes del cuerpo para descubrir qué meridianos o puntos de diagnóstico están más afectados por el consumo de grasa y aceites. Si la piel de la nariz es más grasa que la del resto de la cara, está implicado el corazón. Si es la frente la más grasa, los órganos con problemas son los intestinos y el hígado. Si son las mejillas las más grasas, quiere decir que los pulmones están sobrecargados en exceso de grasa. Si es la zona de la barbilla y la boca la más grasa, están implicados los órganos sexuales y los intestinos.

ACNÉ

Las espinillas aparecen con más frecuencia en la parte superior del cuerpo, sobre todo en la cara, hombros, espalda y pecho. Yo creo que aparecen principalmente en esta zona del cuerpo porque son un fenómeno yin. Como se recordará, la parte superior del cuerpo es yin, y la inferior es yang. Las cosas yin se expanden y suben a la periferia. Las cosas yang se contraen y descienden al centro. El azúcar y la grasa son yin: hacen expandirse o crecer las cosas. Todos necesitamos azúcar, grasa y proteínas para vivir. Pero nuestra necesidad de estos elementos nutritivos tiene límites.

Cuando se exceden esos límites, el exceso ha de almacenarse o eliminarse. Una de las maneras como el cuerpo elimina los excesos es empujándolos hacia fuera por los poros.

Para tratar el acné, la persona deberá evitar o eliminar todos los azúcares refinados y alimentos grasos. En ninguna circunstancia la persona que tiene acné deberá tomar las llamadas comidas rápidas, que son ricas en grasa y sal. Esta combinación es extraordinariamente tóxica para el cuerpo, porque la sal hace contraerse los riñones, reduciendo así su capacidad de filtrar la sangre. Cuando los riñones no pueden limpiar totalmente la sangre, las toxinas se propagan a todos los tejidos del cuerpo, convirtiéndose rápidamente en espinillas. Recordemos que la grasa es difícil de digerir debido a sus fuertes enlaces moleculares. Por lo tanto, los pequeños glóbulos de grasa viajan por el torrente sanguíneo; al ser de carácter yin, subirán hacia la superficie y finalmente saldrán a la cara o a otra parte del cuerpo formando espinillas.

Cuando aparecen espinillas en la cara, se puede usar la diagnosis oriental para determinar qué órganos y qué meridianos están más afectados. Las espinillas de la mejilla indican problemas en los pulmones; las de la barbilla, en los órganos sexuales; las de la frente, en los intestinos e hígado; las de la nariz, en el corazón.

También suelen aparecer espinillas debido al estrés. Y aquí, nuevamente, están implicados los riñones. El estrés afecta directamente a los riñones y su funcionamiento, reduciendo su capacidad de filtrar la sangre.

Una persona que sufre de acné deberá comer alimentos alcalinos, masticar bien, hacer mucho ejercicio para mejorar la circulación y el metabolismo, y evitar el exceso de azúcar, grasa, aceites y proteínas. Entonces es muy fácil hacer desaparecer el acné.

ECCEMA

El eccema es un tipo de erupción de la piel que a veces cubre una extensa zona. La piel se pone seca, escamosa y quebradiza, y hay mucha mucosidad. Son muchas las personas que sufren de eccema y tienen mucha dificultad para sanarlo. Pero, a semejanza del acné, se puede curar fácil y rápidamente viviendo dentro de los propios límites. La causa del eccema se encuentra en las funciones de eliminación y circulación.

Si la cantidad de toxinas que consumimos excede la capacidad del cuerpo para eliminarlas, las toxinas se acumulan en la sangre. Además, se deteriora la circulación, con lo cual las toxinas, sobre todo las grasas y aceites, se acumulan dentro de los tejidos que hay bajo la superficie de la piel. Los antígenos presentes en el medio ambiente (desde pelos de gato y polen hasta las substancias contaminantes del aire) pueden activar una reacción que ya está a la espera para producirse. En ese caso, el antígeno es como la mecha que sale de la dinamita, a la espera de hacerla explotar.

Para eliminar el eccema hemos de reducir o eliminar en serio todos los azúcares refinados, la grasa o colesterol y los alimentos refinados, sobre todo aquellos que contienen aditivos químicos. Hemos de reducir también el consumo de sal, que si se toma en exceso va a disminuir la eficiencia de los riñones e intestinos. Esto será causa de que se acumulen toxinas en el torrente sanguíneo y se produzcan más eccemas.

MANCHAS OSCURAS Y PECAS

Las manchas oscuras, sobre todo las que aparecen en las manos de las personas mayores, son consecuencia de una menor eficiencia del hígado. De vez en cuando aparecen manchas de color castaño oscuro en las manos a lo largo de meridianos concretos, lo cual indica que los órganos y meridianos relacionados están sobrecargados. En general, estas manchas están causadas por un consumo excesivo de grasa y azúcar.

Las pecas aparecen en las caras de los niños y su causa es el consumo excesivo de frutas y azúcar. Al hacernos mayores reducimos el consumo de gaseosas, caramelos y otros dulces, por lo cual las pecas van desapareciendo gradualmente. Aunque en realidad la luz del sol no es «causa» de las pecas, es un mecanismo activador para las personas propensas a ellas.

PIEL PASTOSA

En las personas de edad madura o mayores se ve a veces una piel pastosa que casi da la impresión de queso. Esto se debe a una grave reducción de oxígeno en determinados tejidos y órganos. Fíjese en qué zonas aparecen estos depósitos pastosos. Le recomiendo que utilice la diagnosis oriental para determinar qué órganos y meridianos están implicados.

EL CABELLO

En la diagnosis oriental, el pelo exterior del cuerpo tiene una relación directa y reveladora con el pelo interior, concretamente con los minúsculos pelillos llamados cilios que recubren el esófago y tracto digestivo.

Durante los nueve meses que el bebé permanece en el interior del vientre de su madre, se nutre de la sangre materna. Por lo tanto, su tracto digestivo está inactivo respecto a sus funciones, aunque activo en cuanto a su desarrollo, junto con el resto de su cuerpo. Durante esos nueve meses, el bebé desarrolla un pelillo exterior suave llamado lanugo, que le cubre todo el cuerpo, y en el interior desarrolla los cilios. Poco después de nacer desaparecen el lanugo y los cilios. Los cilios se eliminan junto con el meconio, o excremento del recién nacido, que contiene líquido amniótico, células muertas y el lanugo tragado por el bebé durante la gestación.

La eliminación de los cilios y del pelillo exterior ocurre simultáneamente. El bebé pierde estos pelillos y comienza a desarrollar un pelo nuevo, más fuerte y resistente, que será útil tanto al interior como al exterior del cuerpo. Para el niño este es un proceso sano, un avance en su crecimiento, se está adaptando a su entorno. Lo importante aquí, es que el crecimiento del pelo se produce de forma natural y coordinada, de modo que el pelo interior y el pelo exterior están siempre relacionados.

En medicina oriental creemos que la energía de los riñones, hígado y pulmones controla el crecimiento y la salud del pelo. Su calidad y cantidad dependen de nuestra salud. Esto lo prueba el hecho de que las personas que reciben tratamiento quimioterápico pierden el cabello: La quimioterapia, que es tóxica para todas las células, daña en particular los riñones. Una vez que los riñones están debilitados son incapaces de proporcionar el ki adecuado a todo el cuerpo, y esas zonas que no son esenciales para la vida (entre ellas los cabellos) son las últimas en ser nutridas. En consecuencia, se cae el pelo.

Los metales pesados y las substancias químicas venenosas dañan el hígado y también producen caída del cabello. Estas toxinas son nocivas para el hígado y los riñones, que entonces tienen mucha dificultad para eliminarlos del cuerpo, y así afectan a la calidad y crecimiento del cabello.

Las algas, sobre todo las de la familia kelp, pueden contribuir eficazmente a eliminar los venenos químicos y los metales pesados. Los estudios científicos han demostrado que el alginato de sodio, presente en la mayoría de las algas, enlaza con los metales pesados y substancias químicas contaminantes. Una vez enlazado con ellos, los extrae de los tejidos y los lleva al intestino, desde donde pueden ser eliminados del cuerpo.

Los trastornos emocionales pueden ser causa de que el pelo pierda consistencia, se caiga o cambie de color. Hans Selye, investigador pionero de Canadá, descubrió recientemente que el estrés, o el miedo, dañan los riñones. La medicina oriental lleva tres mil años diciendo eso mismo. El miedo, que es la emoción relacionada con los riñones, daña estos muy preciados órganos. Las emociones negativas, como la tristeza, la rabia o el miedo, y el estrés crónico, también dañan las glándulas suprarrenales, situadas sobre los riñones. Los largos periodos de estrés hiperactivan y sobrecargan de trabajo a las suprarrenales, que finalmente se debilitan y dejan de ser activas, con lo cual se daña aún más la energía de los riñones. Por lo tanto, él estrés emocional podría ser causa de caída del cabello al dañar los riñones.

La energía del riñón nutre los órganos sexuales. Dado que el pelo está regido por los riñones, la medicina oriental siempre lo ha asociado con los órganos sexuales. El cabello de una persona revela así la salud y fortaleza relativas de sus órganos sexuales. Tradicionalmente, a las mujeres que tienen cabellos hermosos y lustrosos se las considera poseedoras de la capacidad para dar a luz hijos sanos. En los hombres también el cabello refleja riñones, hígado y órganos sexuales fuertes.

Considero que las puntas abiertas o los cabellos frágiles indican que la persona sufre de debilidad en los riñones y en los órganos sexuales. Las puntas abiertas representan un trastorno yin: el pelo se divide en la punta cuando debería mantenerse unido y contraído. La causa es un exceso yin en la dieta y estilo de vida. El problema también puede deberse al consumo excesivo de fármacos o drogas. El cabello frágil puede ser consecuencia de un consumo excesivo de sal o alimentos de origen animal; en cualquiera de los dos casos, la energía del riñón es insuficiente. La causa puede ser también una carencia de minerales, sobre todo de yodo. Un mayor consumo de verduras y algas puede remediar fácilmente este problema.

El estado del pelo exterior revela también el estado de la vellosidad interior. Las puntas partidas o el cabello de rizos muy pequeños indica el estado de la vellosidad interior de los pulmones e intestinos. Cuando en la edad madura aparece vello en lugares donde no debería haber, sabemos que dentro del cuerpo también ocurre algo relacionado con el crecimiento del pelo. Por ejemplo, muchas mujeres desarrollan bigote. La zona de la boca está relacionada con el tracto digestivo y los órganos sexuales. Por lo tanto, sabemos que hay exceso de cilios en esas zonas del cuerpo. La presencia excesiva de cilios indica que la acumulación de mucosidad ha alcanzado proporciones elevadas. La elevada cantidad de proteínas y mucosidad han dado origen a un mayor crecimiento de vellosidad dentro del tracto digestivo y los órganos sexuales. Cuanta más vellosidad se desarrolla dentro del cuerpo en estas zonas, más vellos aparecen en el exterior en zonas diagnósticas concretas. Cuando una mujer tiene mucho bigote, probablemente sufre de problemas relacionados con los órganos sexuales o el ciclo menstrual, entre ellos el síndrome premenstrual y tal vez liomiomas uterinos.

Siempre que alguien cambia sus hábitos dietéticos, le recomiendo que preste especial atención al efecto que observa en sus cabellos. A veces una dieta puede ser teóricamente correcta, pero biológicamente incorrecta para la persona. Nuestro pelo nos dice mucho acerca de cómo afecta la dieta a nuestra vida.

Calvicie

Creo que una de las causas de la calvicie es el consumo excesivo de líquido. Cada pelo se asienta en un folículo, o saquito, que contiene aceite. Cuando el consumo de líquido excede la capacidad de los riñones para procesarlo, el líquido produce el ensanchamiento del folículo, lo que a su vez es causa de que el pelo caiga. Las personas calvas o con calvicie incipiente, deberán tomar menos líquido y cuidar muchísimo sus riñones.

La calvicie suele presentarse en sectores concretos de la cabeza, ya sea en la parte anterior, junto a la frente, o detrás. Si la calvicie aparece delante, la causa es el consumo excesivo de substancias yin, sobre todo bebidas gaseosas, zumos de frutas y alcohol. Si aparece en la parte de atrás o en el centro de la cabeza, la causa es yang, es decir, consumo excesivo de sal, carne roja, huevos, quesos secos y pollo.

Desde antaño las canas se han asociado con el estrés excesivo. En Occidente es corriente decir: «Este problema me está haciendo salir canas». Como he dicho, el estrés daña los riñones y afecta al pelo. Lo mismo produce el exceso de sal, que contrae los riñones y obstaculiza la sana circulación de los elementos nutritivos que normalmente irían hacia los cabellos.

El pelo facial en los hombres puede también ser señal de fuerza. Los hombres que tienen tupidas patillas, por ejemplo, tienen el hígado y la vesícula biliar fuertes. El meridiano de la vesícula biliar discurre por la parte de atrás de la oreja y por el costado del cuero cabelludo, dando más brillo y densidad al cabello que crece allí. Un bigote tupido en un hombre puede indicar fuerza en la actividad digestiva y en los órganos sexuales.

En general, el dejarse crecer la barba hace a un hombre más yang, mientras que afeitársela lo hace más yin. A algunos hombres les sienta bien la barba, mientras que otros nunca deberían dejársela. Creo que el actor Kirk Douglas, por ejemplo, se vería horroroso con barba, porque su cara ya es muy yang. Su energía yang sería abrumadora y le estropearía la apariencia. Por otro lado, una barba habría favorecido la cara de Napoleón, aunque por lo visto a Josefina no le molestaba que no la tuviera.

El pelo y la piel nos dicen mucho acerca de nuestras fuerzas y debilidades naturales. Pero cada uno puede mejorar de modo espectacular si diariamente cuida de su vida, cuerpo y salud, y de forma especial de los meridianos específicos. Debemos observar nuestro cuerpo para descubrir los secretos de nuestra vida. Nuestros cuerpos nos guían constantemente, ofreciéndonos maneras de convertir nuestras flaquezas en fuerzas y nuestras partes no agradables en la belleza natural que existe en todos nosotros.

Programa para una salud mejor

COMER PARA LA SALUD Y LA FELICIDAD

Sería imposible prescribir una dieta específica que sea apropiada para todo el mundo. Con demasiada frecuencia las dietas fomentan los sentimientos de culpa y la autocrítica. Pero los alimentos que consume la mayoría de la gente hoy en día son tan dañinos que prácticamente todos se pueden beneficiar haciendo algunas mejoras de sentido común.

A continuación ofrezco dos grupos de orientaciones generales. El primero es una serie de recomendaciones sensatas destinadas a favorecer la salud, la vitalidad y una larga vida.

El segundo grupo de orientaciones se basa en los Cinco Elementos, o Cinco Transformaciones. Cada elemento de las Cinco Transformaciones tiene un grupo determinado de alimentos que favorecen el funcionamiento del conjunto correspondiente de órganos. Si después de leer este libro ha descubierto que el bazo, el hígado o los riñones no le funcionan bien, puede comenzar a aumentar la cantidad de los alimentos recomendados para ese determinado elemento de la teoría de las Cinco Transformaciones. Eso mejorará el funcionamiento de los órganos y meridianos relacionados para recuperar la salud.

Es esencial, sin embargo, comer una amplia variedad de alimentos. No interprete mal este consejo, pensando que significa que ha de concentrarse exclusivamente en un elemento particular de las Cinco Transformaciones. Todos los órganos del cuerpo necesitan nutrición. Para que se nutran es necesario comer un amplio surtido de alimentos y disfrutar de muchos sabores. Los consejos que doy a continuación son orientaciones para incorporar a su dieta una mayor cantidad de aquellos alimentos que favorecerán el funcionamiento de los órganos que tal vez están funcionando mal en la actualidad. Al mismo tiempo, es importante buscar el consejo cualificado de un médico o asesor en nutrición holista, o ambas cosas.

Orientaciones dietéticas generales

1. *Dé las gracias por todos los alimentos que recibe.* Los alimentos nos llegan como regalo del «Dador de la Vida». Recíbalos con humildad y gratitud. Se nos dan para mantener la vida en la Tierra y para ayudarnos a hacer realidad nuestros más acariciados sueños. Por suerte o por desgracia, nací durante la Segunda Guerra Mundial y me crié en Hiroshima, de modo que mi estómago experimentó la verdad de lo que estoy diciendo. Cuando recibimos el alimento, nos llega con amor, como una bendición del mundo.

2. *Coma alimentos completos.* Los seres humanos somos productos de la naturaleza al igual que lo son las estrellas, los árboles y las plantas. Somos uno con la Tierra: sus minerales circulan por nuestra sangre; somos uno con las plantas: sus elementos nutritivos hacen funcionar nuestras células y su fibra nos ayuda a eliminar los desechos indeseados; somos uno con la lluvia: nuestros cuerpos se componen en su mayor parte de agua; somos uno con el Sol: sus rayos dan vida a todo lo que hay en el planeta.

Evite los alimentos que han sido despojados de su contenido nutritivo o que han sido tan procesados que son más productos de laboratorio que de la naturaleza. Coma alimentos completos, frescos, no procesados y, siempre que sea posible, que sean cultivados orgánica o biológicamente. Estos alimentos le proporcionarán cantidades óptimas de nutrición y poder. También le ayudarán a evitar substancias químicas dañinas que conducen a la enfermedad y la desdicha. Lo conducirán a una vida armoniosa.

Coma sobre todo cereales completos, como arroz, mijo, cebada, avena y maíz integrales, y verduras frescas, particularmente de la variedad de hoja verde, como son por ejemplo las coles y la lechuga verde. Los cereales integrales proporcionan energía en abundancia (los hidratos de carbono complejos son el combustible más eficiente y potente del planeta), así como proteínas, vitaminas, minerales y fibra. Las verduras frescas son minas de vitaminas, minerales y fibra. Estos alimentos estimulan el sistema inmunitario y los órganos excretores y nos proporcionan energía duradera.

3. *Mastique bien.* La masticación es un paso esencial de la digestión. Los seres humanos podemos comer cualquier cosa, pero primero debemos masticarla. El alimento que ha sido bien masticado, puede ser bien digerido y eliminado. Los alimentos que se han masticado sólo parcialmente no pueden ser digeridos en su totalidad, producen todo tipo de trastornos gástricos e intestinales y conducen a la enfermedad e infelicidad. Mastique cada bocado entre 35 y 50 veces; con ello obtendrá una buena salud, pensamiento claro y digestión feliz. Masticar bien ejercita los músculos de la boca, mandíbula y cuello, lo cual aumenta la irrigación sanguínea del cerebro, que necesita treinta veces más oxígeno que el resto del cuerpo. Por eso, cuanto más se mastica, más inteligente se es.

4. *Evite el exceso de grasa.* La parte más peligrosa de la dieta actual es la grasa. Está demostrado que es cancerígena. Obstaculiza la provisión de oxígeno y sangre a los tejidos de todo el cuerpo. Sin sangre ni oxígeno las células mueren: el cuerpo envejece prematuramente y hacen su aparición las enfermedades degenerativas. El consumo excesivo de grasa es causa de cáncer, enfermedades cardiacas, hipertensión, diabetes mellitus no dependiente de insulina, demencia senil precoz y apoplejía. Los alimentos de origen animal, especialmente la carne roja, los productos lácteos y los huevos, están cargados de grasa. Si consume estos alimentos, cómalos con moderación.

5. *Coma alimentos propios de la región y la estación.* Vivimos en condiciones climáticas específicas, igual como las plantas que crecen a nuestro alrededor. Deberíamos comer los alimentos que viven en las mismas condiciones que nosotros. A las personas que viven en Alaska les va mejor comer pescado y grasa de ballena que comer los alimentos y frutas propios de Brasil, y viceversa. Lo mismo vale para todos los otros climas. Cuando comemos los productos de la naturaleza, consumimos la energía que entró en la creación de esas plantas. Consumimos nuestro clima y todas las energías que influyen en nosotros diariamente. Esto facilita la adaptación del cuerpo a las estaciones, al tiempo atmosférico y a los retos que enfrentamos en nuestra vida cotidiana. Si no puede comer alimentos cultivados en su región, coma alimentos que se produzcan más o menos en la misma latitud. Trate de evitar los alimentos que no crecen en su propio clima.

6. *No coma en exceso.* Comer en exceso sobrecarga el organismo, añade kilos y dificulta la digestión. Esto favorece las enfermedades cardiacas, los problemas intestinales y hepáticos y entorpece el pensamiento.

En Japón decimos que cuando el estómago está un poquitín vacío, la mente está ávida de conocimiento. Pero cuando el estómago está lleno, la mente también está llena. Yo creo que si comiéramos menos, tendríamos menos problemas de salud.

7. *No coma inmediatamente antes de acostarse.* Es un hecho bien documentado que durante el sueño el cuerpo se cura a sí mismo. Sin embargo, esto no ocurre si el estómago está lleno al irnos a dormir. La energía que debería dedicarse a sanar se dedica a la digestión. Un estómago lleno impide el sueño profundo y el adecuado descanso. También pienso que un estómago lleno nos hace soñar en exceso y hace desagradables nuestros pensamientos. Esto nos afecta al día siguiente, causándonos letargo y mal humor.

Estos son mis consejos para comer sano. No son demasiado rígidos. Cualquiera los puede seguir, y obtener mucho provecho de ellos.

La dieta y las Cinco Transformaciones

El elemento juego: El corazón y el intestino delgado

Los alimentos muy condimentados son dañinos para el corazón y el intestino delgado, como también lo es un nivel muy elevado de colesterol en la sangre, producido por el consumo excesivo de alimentos de origen animal. Si una persona tiene débiles el corazón y el intestino delgado, deberá reducir o eliminar de su dieta la carne roja, los huevos y los productos lácteos, los cuales aumentan el nivel de colesterol en la sangre e impiden que el corazón reciba la cantidad adecuada de sangre y oxígeno. El corazón y el intestino delgado también se debilitan por el consumo excesivo de alimentos demasiado contractivos o muy refrescantes, como la sal.

Los alimentos que favorecen el elemento fuego son el maíz, las coles de Bruselas, las cebolletas, los cebollinos, las lentejas rojas, los fresones y las frambuesas. Los alimentos ligeramente amargos, como las hojas de diente de león, estimulan el funcionamiento del corazón y el intestino delgado.

Sólo son necesarias pequeñas cantidades de estos alimentos, sobre todo si se comen con regularidad (digamos, semanalmente). Hemos de variar el surtido de alimentos fuego. Depender de un solo grupo de alimentos lleva a graves desequilibrios, y finalmente a la enfermedad. Debemos acordarnos de comer estos alimentos en su temporada; es importante estar en armonía con el medio ambiente y el clima. En invierno no hay fresones, por un motivo muy claro: son frutas de primavera, destinadas a complementar la dieta durante una determinada parte del año.

El funcionamiento del corazón y el intestino delgado se estimula aún más con una actitud optimista ante la vida: la fe y la gratitud fomentan la alegría.

El elemento tierra: El estómago y el bazo

Los alimentos que dañan el estómago y el bazo son el azúcar refinado y los alimentos muy ácidos. Las bebidas muy edulcoradas también dañan el bazo.

A la inversa, los alimentos de sabor moderadamente dulce favorecen el funcionamiento del bazo. Las calabazas se encuentran entre los mejores estimulantes del bazo que hay en el reino vegetal. Entre los cereales, el mijo. Las personas que tienen problemas de estómago o bazo deberían comer mucho mijo y calabaza.

Los minerales son muy importantes para un buen funcionamiento del elemento tierra. Dado que contienen minerales, todas las verduras estimulan el funcionamiento del estómago, bazo y páncreas. Particularmente beneficiosas son las hojas de col, que son ricas en minerales, en particular de calcio.

El elemento tierra se favorece aún más masticando bien y salivando. La saliva suele ser muy alcalina, y el estómago muy ácido. El alimento bien masticado, bien ensalivado, entra en el estómago y neutraliza los ácidos gástricos, creando armonía en el ambiente del estómago. Los alimentos picantes o ácidos poco masticados acidifican mucho el estómago, produciendo acidez, molestias estomacales y, finalmente, úlceras.

El elemento metal: Los pulmones y el intestino grueso

Los alimentos que favorecen el elemento metal son, además del arroz integral, muchas verduras populares, entre ellas la col, la coliflor, el apio, el pepino, el berro, el nabo, el rábano y la cebolla. Según la medicina oriental, la raíz de jengibre, el rábano negro o *daikon*, el ajo y las hojas de mostaza son hierbas medicinales para los pulmones y el intestino grueso. Pequeñas cantidades de sabor picante contribuyen también a mejorar el funcionamiento de los pulmones e intestino grueso.

Los ejercicios aeróbicos, como caminar y montar en bicicleta, favorecen a los pulmones y al intestino grueso. (Véase más adelante la sección sobre ejercicios en este mismo capítulo.)

En general, la fibra ayuda a todo el tracto digestivo al aumentar el tiempo de tránsito y arrastrar hacia fuera los desechos viejos atascados en el organismo. Dado que contienen fibra, todos los cereales integrales y verduras estimulan y favorecen el funcionamiento del intestino grueso.

Por el contrario, los alimentos de origen animal, sobre todo la carne roja, sobrecargan los intestinos y hacen más difícil la digestión. La grasa, especialmente la de la carne roja, los huevos y quesos secos, es la causa número uno del cáncer de colon. La carne roja es de dificilísima digestión, ya que no se puede masticar totalmente en la boca y es evidente que no se puede desmenuzar en el tracto intestinal. Las personas que tienen problemas de intestino grueso deberían evitar los alimentos de difícil digestión, sobre todo la carne.

Los pulmones son muy sensibles a los productos lácteos y al aceite. Las frituras, la leche, el yogur y otros alimentos grasos u oleosos obturan los pequeñísimos alvéolos pulmonares, impidiendo la plena oxigenación de los pulmones. Si se quiere sanar los pulmones, la dieta debe contener muy poco de aceite y grasa. Si tiene tos, deberá evitar las anjovas, las sardinas y la caballa.

El elemento agua: Los riñones y la vejiga

Los alimentos que favorecen el funcionamiento de los riñones son las legumbres y la sal en pequeñas cantidades. Demasiada sal, no obstante, debilitará los riñones y elevará la presión arterial; deberemos consumir sal en cantidades de pequeñas a moderadas. Todas las legumbres contribuyen a tonificar y estimular el funcionamiento de los riñones, pero las judías azuki están entre las mejores.

La cebada y el trigo sarraceno (alforfón) son los cereales que mejor servicio prestan a los riñones; todas las algas, en especial las kombu, hijiki, wakami y nori, mejoran el funcionamiento renal. Cuando los riñones están cansados, pruebe con raíz de jengibre, que se puede beber en infusión, comer como verdura o aplicar en forma de compresa.

El elemento madera: El hígado y la vesícula biliar

El exceso de grasa y alcohol dañan el hígado y la vesícula biliar.

Cuando una persona tiene cálculos biliares suele sentir un dolor punzante en la región baja del tórax. Con frecuencia se extirpa quirúrgicamente la vesícula, pero es posible librarse de los cálculos de forma natural, disolviéndolos dentro de la vesícula mediante el cambio a una dieta que contenga menos grasa. Esto reduce el colesterol en la vesícula, haciendo la proporción colesterol/ácido más equilibrada en favor del ácido. Pero para conseguir esto la persona ha de ponerse bajo la orientación de un especialista en nutrición que sepa ajustar la dieta a un nivel más bajo de colesterol en la sangre, lo suficiente para no perder elementos nutritivos importantes. Mientras en la dieta predominen los cereales integrales, gran variedad de verduras, legumbres, algas y pescado, no debería haber problema para obtener todos los elementos nutritivos necesarios para una salud óptima.

EJERCICIOS PARA LA SALUD Y LA PAZ MENTAL

Como expliqué en el capítulo 3, el estado de nuestros meridianos influye directamente en nuestra salud física y psicológica. Es posible comprobar que la calidad de nuestra vida depende de la abundancia constante de energía. Pero debería preocuparnos no sólo la cantidad de energía sino lo bien que circula por ciertos canales meridianos.

Los hábitos emocionales, dietéticos y de estilo de vida influyen en la circulación de la energía por el cuerpo. Podemos corregir los desequilibrios y bloqueos de energía cambiando nuestra forma de alimentarnos y haciendo con regularidad los ejercicios para los meridianos.

A continuación presento una serie de ejercicios destinados a mejorar la circulación del ki por meridianos concretos. Estos ejercicios, que enseño en mi escuela, mejoran el funcionamiento de los órganos relacionados con dichos meridianos, así como favorecen los factores emocionales y psicológicos asociados con cada meridiano. Al hacer estos ejercicios podría diagnosticar el estado de sus meridianos. El bloqueo o estancamiento de la circulación en un determinado meridiano se manifestará en forma de rigidez o resistencia al ejercicio. La flexibilidad revela una buena circulación del ki y un meridiano en buen funcionamiento.

Respire profunda y uniformemente mientras hace cada ejercicio. Intente mantenerse equilibrado y relajado. Cuando haya llegado al punto máximo de estiramiento, mantenga esa postura contando tres respiraciones y después relájese. Trate de visualizar y sentir cómo fluye la energía a lo largo de los meridianos que está ejercitando. Muy importante: no se fuerce a llegar más allá del punto al que su cuerpo llega con comodidad. Haga estos ejercicios con suavidad y determinación. Si los hace con regularidad, muy pronto adquirirá más flexibilidad y su salud mejorará notablemente. Pero tenga paciencia consigo mismo.

Meridianos del pulmón e intestino grueso

Cruce las manos por detrás, la izquierda sobre la derecha, y cójaselas por los pulgares. Inclínese hacia delante a la vez que levanta los brazos lo más posible. Mantenga esa posición, relaje los músculos y haga dos respiraciones. Mientras está en esa posición, trate de visualizar cómo el ki se precipita por el cuerpo desde la cabeza a los pies, sobre todo por los hombros, pecho y brazos. Probablemente sentirá cierta tensión en el pecho y hombros y en la parte posterior de las piernas. Relájese totalmente. Este ejercicio estira los meridianos del pulmón e intestino grueso. Repítalo tres o cuatro veces, o tantas como pueda sin excesivo esfuerzo.

Meridianos del estómago y bazo

Colóquese de rodillas con las nalgas apoyadas en los talones. Cójase las manos y levántelas por encima de la cabeza lo más alto posible. Lentamente vaya inclinando el cuerpo recto hacia atrás hasta que la espalda quede apoyada en el suelo. Mantenga esta posición durante dos respiraciones y después vuelva a la posición de partida. También puede hacer este ejercicio con las palmas giradas hacia arriba. Es un ejercicio maravilloso para los meridianos del estómago y bazo. Repítalo tres o cuatro veces, o tanto como pueda sin esforzarse demasiado.

Meridianos del corazón e intestino delgado

Siéntese en el suelo. Junte las plantas de los pies sujetándoselos con las manos, e incline y abra las rodillas para acercar lo más posible los pies al cuerpo. Coloque los codos sobre las rodillas y trate de tocar los dedos de los pies con la cabeza, intentando al mismo tiempo que las rodillas toquen el suelo. Lo ideal es poder tocarse la cabeza con los dedos de los pies mientras las rodillas tocan el suelo. No se esfuerce. Llegue hasta su punto máximo de estiramiento y mantenga esa postura durante dos respiraciones. Relájese. La incapacidad para tocarse los dedos con la cabeza indica problemas en el corazón e intestino delgado. La práctica regular de este ejercicio mejorará el funcionamiento de ambos órganos.

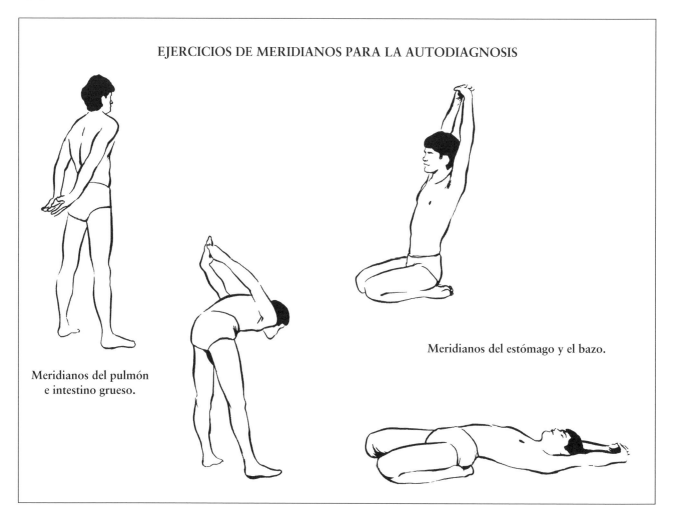

EJERCICIOS DE MERIDIANOS PARA LA AUTODIAGNOSIS

Meridianos del pulmón
e intestino grueso.

Meridianos del estómago y el bazo.

Meridianos del riñón y vejiga

Sentado en el suelo, estire las piernas y tóquese los dedos con las manos. Cuando llegue al punto máximo de estiramiento, mantenga la posición, relaje los músculos y haga dos respiraciones. Sienta cómo circula el ki por su cuerpo, sobre todo por la espalda y piernas.

Meridianos del constrictor del corazón y triple calentador

Sentado en la posición del loto o medio loto (con el canto de los pies tocando el suelo, en vez de la postura más difícil que los sitúa dentro de las piernas), cruce los brazos para cogerse la rodilla de la pierna opuesta. Inclínese hacia delante y descanse la cabeza en el suelo. Manteniendo esta posición, relaje todos los músculos, visualice el ki que fluye por todo el cuerpo, sobre todo en la parte superior de la espalda y brazos, y haga dos respiraciones profundas.

EJERCICIOS DE MERIDIANOS PARA LA AUTODIAGNOSIS

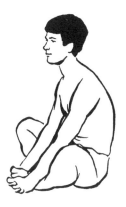

Meridianos del riñón y la vejiga.

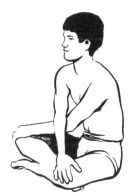

Meridianos del corazón
e intestino delgado.

Meridianos del constrictor del
corazón y triple calentador.

Meridianos del hígado y vesícula biliar.

Meridianos del hígado y vesícula biliar

Sentado en el suelo con las piernas estiradas, sepárelas todo lo que pueda. Entrelace los dedos y estire los brazos por encima de la cabeza; después inclínese hacia un lado y trate de tocarse los dedos de ese pie con la parte interior de las manos. Cuando llegue al punto máximo de estiramiento, relájese, haga dos respiraciones profundas y vuelva a la posición inicial. Lo mismo hacia la otra pierna. Este ejercicio estira los meridianos del hígado y vesícula biliar.

La práctica regular de este ejercicio dará fuerza y flexibilidad a su cuerpo y le permitirá evaluar su estado. Desarrollará un excelente tono muscular, porque el ki circulará en mayor abundancia por todo su cuerpo. Desde antiguo la filosofía yóguica ha sostenido que la flexibilidad del cuerpo se refleja en la flexibilidad de la mente y en la actitud espiritual. La resistencia del cuerpo refleja actitudes tercas sobre la vida. Cuando haga regularmente estos ejercicios notará no sólo una mayor vitalidad y flexibilidad, sino también un pensamiento más claro y mayor creatividad. A medida que su cuerpo adquiera más flexibilidad, también la adquirirá su mente. Donde en otro tiempo creía que un determinado problema era insoluble, de pronto verá nuevas posibilidades en la situación. Comenzará a experimentar una mayor percepción de las oportunidades cuando se encuentre ante un desafío. En resumen, cuando se haga más fuerte y flexible, su vida le parecerá más manejable.

10

Un ejemplo de diagnosis

A MODO DE EJERCICIO, permítame contarle una reciente sesión de Ohashiatsu para que pueda ver, al menos hasta cierto punto, cómo se pueden aplicar a otra persona los conocimientos de que hemos hablado.

La mayoría de las veces mi clientes vienen a mi escuela de Manhattan. Hoy tengo programada la visita de un hombre al que llamaré Robert Smith. No lo conozco de nada ni sé por qué viene a verme.

Cuando llega, entra en el vestíbulo; mi recepcionista le pide que se quite los zapatos y me avisa por el altavoz que ha llegado el señor Smith. Lo saludo a mi manera normal y amistosa, estrechando su mano grande y fuerte, y me inclino, como es mi costumbre.

–¡Cómo está usted, señor Smith! –le digo–. Me alegra verle. Pase, por favor, pase.

Diciendo eso lo acompaño hasta mi gran sala japonesa y allí le ofrezco té. Durante un momento él contempla la pequeña taza de porcelana y después comienza a beber.

–¿Qué tipo de té es este? –me pregunta.

–Es té japonés. Tenemos un té buenísimo.

–Muy rico –comenta.

Se toma un momento para paladearlo. Tiene una lengua sensible. Advierto su sensibilidad. Es buena señal, señal de un buen estómago, buen corazón y buena apreciación. Es franco. Ya me siento optimista acerca de su capacidad para superar cualquier problema que tenga, sea el que sea.

Entablo con él. una conversación amistosa. Le pregunto cómo ha venido hasta aquí: ¿en taxi, en metro?

–En coche –dice.

Probablemente no vive en la ciudad de Nueva York.

–¿Dónde vive? –pregunto.

–En Westfield, Nueva Jersey.

Hablamos del tráfico, del tiempo y de si le gusta venir a Nueva York.

Mientras habla, lo escucho y lo observo atentamente. Cincuentón, su cabeza es un rectángulo vertical, la mandíbula cuadrada y la frente también cuadrada. Hay tres zonas completas en su cara; la frente, las mejillas y la barbilla son más o menos del mismo tamaño, lo cual hace su cabeza más larga que ancha. Tiene los ojos pequeños, redondos y francos. Entre ellos hay dos arrugas verticales y superficiales. Bajo cada ojo hay una pequeña bolsa ligeramente hinchada; las bolsas no son muy pronunciadas.

Su nariz es de longitud normal, terminada en una punta redondeada. La superficie de la nariz es algo accidentada.

La piel de las mejillas es tirante, con ligeras arrugas. En su boca se ve poco o casi nada de labio. Cuando cierra la boca la aprieta, formando una línea horizontal. Desde las ventanillas de la nariz bajan dos surcos verticales de poca profundidad hasta las comisuras de los labios. En general, su cara es de color entre blancuzco y pálido. La cara es tirante y fuerte, pero se ve ligeramente hinchada.

Las orejas son de tamaño medio y gruesas. Su característica más visible es un bien pronunciado promontorio en el borde. El promontorio interior, que va desde el conducto auditivo al promontorio exterior, no está bien desarrollado. El promontorio superior, dentro de la oreja, es fuerte y hay un pequeño canal que pasa por toda la cresta superior de la oreja. El lóbulo es lleno y fuerte, pero está pegado a la cara, lo contrario a suelto o libre.

El señor Smith tiene ligeras manchas de color castaño en las mejillas y en la frente. Su pelo es castaño claro, con indicios de canas. La línea de los cabellos forma profundas entradas a los lados, de modo que en el medio es saliente.

Sus brazos son musculosos, las muñecas fuertes, las manos anchas y fuertes, los dedos anchos, no puntiagudos, de un largo medio. Lleva las uñas cortas. Mide alrededor de 1,75 m de estatura, talla mediana, se ve en forma, sobre todo tratándose de un hombre que ha pasado los cincuenta. Tiene algo de barriga. En general, tiene el cuerpo de un ex atleta que se ha solidificado por estancamiento. Casi noto su rigidez.

Tiene la mirada franca y baja ligeramente la cabeza al final de las frases, de modo que su barbilla se inclina hacia el pecho para dar énfasis a un punto.

–¿Cuánto tiempo hace que vive en Nueva Jersey?

–Veinte años.

–¿Y antes de eso? ¿Dónde se crió?

–En California.

Entonces, educadamente, me cuenta algunas cosas sobre dónde se crió en California.

Mientras el señor Smith habla, me dejo bañar por toda su energía. Estoy completamente abierto y receptivo; no opongo ninguna resistencia, ninguna en absoluto. Estoy sin mente, vacío de todo pensamiento. El aire entre nosotros está cargado solamente con su energía. Palpo la vida de este hombre; su vida llena todos mis poros. Su presencia es como un libro que se me está leyendo. Soy bombardeado por la información que emana de él. Mi trabajo consiste en asimilarla sin reflexión para que mi inconsciente la clasifique y la envíe de vuelta a mi conciencia.

El señor Smith puntúa gran parte de lo que dice con una pequeña sonrisa. Eso es revelador, es un hombre optimista. Sonríe con frecuencia, pero también noto una cierta ansia en su sonrisa, casi una tristeza. Tal vez no ha conseguido lo que deseaba o cree que debería haber tenido. Hay a la vez tristeza y compasión en su voz y en su cara.

Al mismo tiempo, hay considerable fuerza y naturalidad en su porte. No está quemado; ha vivido y sufrido, pero sus ilusiones están vivas. Eso lo percibo en la viveza y franqueza de sus ojos. No se ha dado por vencido. ¡Qué victoria!, pienso. Un hombre que ha vivido, luchado, fracasado y triunfado, y que todavía cree en la bondad de la vida, un hombre que aún cree en el futuro.

Antes de preguntarle por el motivo de su visita, ya conozco muchos de los problemas y fuerzas del señor Smith.

Está rígido. Tiene el cuerpo rígido y también son rígidos sus ademanes. Eso significa que es un pensador conservador, y que sufre de mucha frustración porque carece de la capacidad de inclinarse ante la adversidad. Resistirá, pero con dolor.

Tiene una enfermedad cardiaca; esto se ve por la hinchazón y la piel accidentada de la punta de la nariz. La causa de este problema es el consumo excesivo de alimentos de origen animal, o de demasiadas grasas y pocas verduras. Su corazón está sofocado por falta de oxígeno. Sencillamente tiene demasiada grasa alrededor del corazón y muchas placas de colesterol en las arterias cercanas a él. Va de camino a un infarto o trombosis. También tiene ligeramente hinchada la cara, lo cual es otra indicación más de trastorno cardiaco.

A todo esto hay que añadir problemas digestivos graves, como lo indica el hecho de que en su boca apenas hay labios. Las manchas en la frente indican cierto estancamiento en el tracto intestinal; probablemente hay mucha acumulación de desechos no eliminados. Es más que probable que sufra de diarrea crónica. Sus intestinos, delgado y grueso, están enfermos, tal vez en proceso de degeneración, lo cual se ve en las arrugas que bajan de la nariz a las comisuras de los labios. Esto también lo revela el poco pronunciado promontorio interior de la oreja, que indica la fuerza constitucional de los intestinos. No nació con intestinos fuertes; ese es su punto débil, pero no ha vivido de acuerdo a esa debilidad. Le gustan mucho la carne y otros alimentos de origen animal. Si no cambia pronto estos hábitos, va a sufrir de algún tipo de enfermedad intestinal grave, tal vez cáncer de colon. La acumulación de desechos en sus intestinos y en otras partes es también la causa principal de su rigidez.

Dado que la digestión está estrechamente ligada al bazo, sé que también tiene el bazo débil. Probablemente tiene algún problema gástrico: acedía, acidez o úlcera.

Sus riñones están sobrecargados de trabajo y cansados (como lo indican las pequeñas bolsas bajo los ojos), pero aún están fuertes. Sus riñones son de constitución fuerte, como lo revelan sus orejas fuertes y gruesas.

Tal vez hubo un tiempo en que abusó del alcohol, pero presiento que ya no bebe. Eso lo noto en varios signos. La cara es blanca; si aún fuera un bebedor empedernido, tendría la cara roja, resultado de muchos vasos capilares dilatados alrededor de la nariz, ojos y mejillas. La dilatación de estos vasos capilares es el efecto yin, o expansivo, del alcohol. Además, tiene la cara relativamente despejada y tersa; no hay mucho líquido en esa cara. Sus ojos también se ven fundamentalmente limpios o despejados.

La blancura de su piel me dice que tiene problemas en los pulmones e intestino grueso. Puesto que es evidente que tiene un trastorno intestinal, naturalmente también tendrá problemas en los pulmones.

Tal vez tuvo un problema de alcoholismo, pero ha dejado de beber. Eso podría ser fuente de recuerdos tristes, así como el motivo de que quizá experimenté un marcado grado de frustración acerca de lo que ha progresado en su trabajo o profesión. (De esto no le diré nada, a no ser que él me pida mi opinión.)

En su voz se advierte un cierto deje de aflicción o tristeza, a pesar de su sonrisa. También esto apunta al problema intestinal y a ciertos malos recuerdos. Lleva un anillo en el dedo anular. Tal vez él y su familia han logrado superar un periodo de turbulencia emocional. A juzgar por su expresión optimista y sus fuerzas, creo que lo ha superado.

El hígado ha estado cansado, pero aún está fuerte. Las dos arrugas verticales entre los ojos indican un problema hepático. Aquí vuelvo a advertir el posible problema con el alcohol. Pero como las arrugas no son particularmente profundas, y son dos, no una sola y profunda, el hígado no está tan mal como podría estar. Sufre de congestión, también debido al consumo excesivo de alimentos de origen animal, sobre todo carne y queso seco.

No se percibe rabia en su voz, lo cuál indica que en estos momentos no hay problema hepático agudo.

Tiene el hombro derecho ligeramente más alto que el izquierdo. Eso me dice que hay inflamación en el hígado y en el colon ascendente, mientras que hay contracción en el bazo y colon descendente. Debe de tener la pierna derecha más larga que la izquierda, lo cual es causa de dolor en los hombros y cierta desviación de la columna. Probablemente tiene dolor en la espalda, a la altura de la cintura. Si quiere corregir este desequilibrio estructural, necesita mucho tratamiento Ohashiatsu y un cambio de estilo de vida (el cual incluye la dieta).

Las manchas oscuras de la cara indican un estancamiento en los intestinos y pulmones (las mejillas revelan el estado de los pulmones). Las manchas oscuras también revelan un exagerado consumo de azúcar en el pasado. Los problemas presentes de excesivo consumo de azúcar los revela la rojez en la cara (capilares hinchados), pero si ha habido consumo excesivo de azúcar que posteriormente se ha dejado, esto suele revelarse en manchas oscuras en la cara. La rojez indica un problema actual causado por muchas substancias yin, como son el azúcar, los edulcorantes, la fruta, los zumos de fruta y el alcohol. Las manchas oscuras también indican problemas hepáticos: el hígado ya no es capaz de limpiar totalmente de grasas y azúcares la sangre, con lo cual muchos de estos hidratos de carbono se acumulan dentro del hígado y finalmente son eliminados en forma de carbono, o manchas oscuras, a través de ciertos meridianos.

A pesar de estos problemas evidentes, me siento profundamente impresionado por las fuerzas innatas del señor Smith, y por la avasalladora bondad que emana de él. Para empezar, está en posesión de una constitución fuerte, como lo sugiere su cabeza rectangular y bien proporcionada. Las tres zonas de su cara están bien desarrolladas, e indican un sólido intelecto, una naturaleza emocional, y voluntad. Sus gruesas orejas y anchos lóbulos revelan riñones fuertes, revelan a un hombre bien dotado de carácter, visión amplia y comprensión de la vida.

También su filtro es fuerte y pronunciado, lo que sugiere una voluntad firme, compromiso y vitalidad sexual. Su fuerte constitución sugiere que sus posibilidades de recobrar la salud son excelentes.

En cuanto a su carácter, veo que es un hombre muy trabajador y entregado. No es un visionario ni un revolucionario; esas características estarían reveladas en una cabeza más yin y los ojos más grandes (como lo atestiguan las caras de Gandhi y Lenin), pero tiene la capacidad de ver lejos y de pensar a fondo las cosas, como lo indica su frente alta.

Tiene los ojos pequeños. Eso indica que presta esmerada atención a los detalles. Tiene capacidad para trabajar con números, herramientas mecánicas y fórmulas matemáticas. Sus manos y dedos son romos, lo cual indica aún más que es un hombre de naturaleza práctica, que disfruta trabajando con sus manos en problemas difíciles. Es vigoroso y resistente, aunque su resistencia se está debilitando debido a su rigidez y convencionalismo. Se adhiere exageradamente a las reglas y se resiste a liberarse de las organizaciones e instituciones. Se atiene a lo que se da por comprobado y por verdadero.

Podría ser un ingeniero, un científico, un constructor o un programador de informática. Es jugador de equipos, líder dentro de su institución.

Esta clase de hombre tiene muchas dificultades cuando se hace demasiado yang, lo que casi siempre les ocurre a las personas de este tipo de constitución. Están tan preocupados por los detalles y los métodos conservadores que no miran al cielo. Se olvidan de que el orden del Universo lo tiene todo controlado. Estas personas se responsabilizan demasiado de la manera como se desarrollan las cosas, lo cual les produce frustración y la abrumadora sensación de que las cosas están descontroladas. Se olvidan de que van como viajeros en un Universo ordenado, no como sus directores.

No obstante, el señor Smith no carece de una fuerte naturaleza espiritual. En efecto, a juzgar por sus ojos y rostro francos y su sonrisa, esa fe ha ganado la batalla. Es posible que se haya rendido a Dios, o que esté en el proceso de hacerlo.

—¿Qué puedo hacer por usted? —le pregunto.

—Bueno, tengo varios problemas persistentes. He visitado médicos y estoy tomando medicación, pero parece que nada resulta. Tengo la impresión de que si no hago algo más que tomar medicamentos, voy a empeorar.

A partir de allí, el señor Smith me cuenta que tiene varios problemas digestivos y que hace poco le han diagnosticado una enfermedad cardiaca. La medicación que toma para ambos problemas lo hace sentirse peor. Un amigo de él y mío le ha recomendado que acuda a verme. Tiene la esperanza de que yo conseguiré sanarlo.

—¿En qué trabaja? —le pregunto.

—Tengo un puesto directivo en IBM —dice.

Anteriormente era programador, pero lo ascendieron a un puesto directivo.

—¿Qué síntomas tiene? ¿Siente dolor o molestias?

—Tengo mucho gas en el estómago y, a veces, acedía. También alterno entre diarrea y estreñimiento.

—¿Cuál de las dos cosas es la más frecuente? ¿La diarrea o el estreñimiento?

—La diarrea. También tengo angina de pecho. Los ataques me vienen cuando canso demasiado el corazón o cuando hace demasiado frío. Entonces tengo el dolor.

—Por favor, póngase de pie. ¿Sabe que tiene el hombro derecho más alto que el izquierdo?

—Ahora lo veo. Nunca me había dado cuenta.

—Casi nadie se da cuenta, así que no se sienta mal por eso. Eso significa también que una pierna es más corta que la otra. Además, tiene un lado del cuerpo demasiado contraído, demasiado tenso, y el otro lado demasiado suelto y expandido. Esto significa desequilibrio izquierda-derecha. ¿Tiene dolor de espalda? —le pongo la mano en la mitad de la espalda—. ¿Aquí, quizá?

—A veces, sobre todo cuando llevo un rato sentado —dice.

—No soy médico ni receto medicamentos —le digo—. Puedo tratarlo regularmente con Ohashiatsu, lo que puede mejorar sus desequilibrios físicos. También tendría que pensar en hacer algunos cambios en su manera de comer. Yo le puedo dar un plan dietético general, que puede sanarle estos problemas, y recomendarle algunos alimentos concretos para ayudarle en su digestión. Además, le explicaré algunos ejercicios específicos para que haga cada día.

Le expongo mis ideas. Con lentitud y paciencia le explico que él es demasiado yang, demasiado contraído, sobre todo en las arterias coronarias y los intestinos. La acumulación de grasa, las placas de colesterol, ha estrechado las arterias y el tracto intestinal; también ha debilitado la capacidad de los intestinos para asimilar los elementos nutritivos y para expulsar los desechos.

También tiene problemas en los riñones y pulmones. En la sangre hay más toxinas de las que pueden eliminar esos órganos. Por lo tanto, muchas se van quedando, tanto en la sangre como en los propios órganos.

Es necesario que se relaje. Para ello, necesita Ohashiatsu con regularidad; y cambiar a una dieta que contenga más cereales, verduras y legumbres, y menos alimentos de origen animal, especialmente carne, huevos y quesos secos. Los ejercicios serán sencillos, pero deberá hacerlos regularmente.

–¿Está dispuesto a hacer modificaciones en su estilo de vida, como son los cambios dietéticos, ejercicios suaves y el tratamiento regular con Ohashiatsu? –le pregunto.

–Para eso he venido –contesta él sonriendo.

–Fantástico. Usted continúe el tratamiento con su médico y yo por mi parte haré cuanto pueda con la diagnosis oriental.

A continuación pasamos a la sala contigua para comenzar con la primera sesión de Ohashiatsu.

Conclusión

COMENCÉ ESTE LIBRO diciendo que uno es perfecto tal como es, y totalmente capaz de ser feliz. Tal vez, después de leer este libro, haya quedado con la impresión de que hay algo malo en su fisonomía. Permítame que me repita: ¡No tiene nada malo! Todo en usted es correcto.

Lo que hace posible la vida son las paradojas. La paz se consigue uniendo los opuestos. Cada uno de nosotros tiene sus puntos fuertes y sus puntos débiles. La clave para la felicidad es el conocimiento de sí mismo y la realización personal. He intentado ayudarle a comprenderse mejor, revelándole su naturaleza interior mediante la utilización de la diagnosis oriental que he desarrollado.

La diagnosis oriental nos enseña que si tenemos los riñones débiles, es imprudente vivir como si los tuviéramos fuertes. Con eso sólo conseguiremos ser desdichados. Dicho de otro modo, somos perfectos tal y como somos, pero hemos de vivir de acuerdo a nuestra perfección única. Hemos de ser quienes somos.

Todos tenemos fuerzas y debilidades. Es precisamente esta combinación la que nos hace únicos y nos da orientación en la vida. Mire mi foto en la cubierta de este libro. Ahora que sabe diagnosis oriental, puede ver las muchas imperfecciones que hay en la cara de Ohashi. Observe todas las maravillosas imperfecciones que forman a Ohashi. Cada una de ellas es una prueba de que soy único. Soy muy afortunado; tengo un lugar en la vida que nadie más tiene.

El secreto de la felicidad es conocer las propias debilidades, las propias fuerzas, y vivir de acuerdo con ellas. Cuidar las debilidades y utilizar las fuerzas.

«Sigue tu felicidad», dice el gran mitólogo Joseph Campbell. En este libro deseo decir lo mismo. Mediante el conocimiento de sí mismo se descubre dónde están los talentos, y también se descubren las debilidades. Se descubren aquellas cosas que no son útiles para la vida. En ese momento, se puede hacer lo que a uno le gusta y evitar abusar de las debilidades. De esa manera nos evitamos mucho dolor, sufrimiento y confusión.

Una vez que uno ha hecho estos descubrimientos, se es un iluminado. Todo lo que resta por hacer es vivir una vida feliz.

NUESTRO ECOSISTEMA DIGITAL

NUESTRO PUNTO DE ENCUENTRO
www.edicionesurano.com

Síguenos en nuestras Redes Sociales, estarás al día de las novedades, promociones, concursos y actualidad del sector.

 Facebook: **mundourano**

 Twitter: **Ediciones_Urano**

 Google+: **+EdicionesUranoEditorial/posts**

 Pinterest: **edicionesurano**

Encontrarás todos nuestros *booktrailers* en **YouTube/edicionesurano**

Visita nuestra librería de *e-books* en **www.amabook.com**

Entra aquí y disfruta de 1 mes de lectura gratuita   **www.suscribooks.com/promo**

Comenta, descubre y comparte tus lecturas en **QuieroLeer®**, una comunidad de lectores y más de medio millón de libros

www.quieroleer.com

Además, descárgate la aplicación gratuita de **QuieroLeer®** y podrás leer todos tus *ebooks* en tus dispositivos móviles. Se sincroniza automáticamente con muchas de las principales librerías *on-line* en español. Disponible para **Android** e **iOS**.

https://play.google.com/store/apps/details?id=pro.digitalbooks.quieroleerplus

iOS

https://itunes.apple.com/es/app/quiero-leer-libros/id584838760?mt=8